図解でわかる

14歳からの
宇宙活動計画

R
への
指

JN081422

インフォビジュアル研究所・著

目 次

図解でわかる
14歳からの
宇宙活動計画

はじめに
もはや夢ではなくなった
宇宙旅行や火星移住計画 ……… 4

Part 1 宇宙カレンダー 2019年から近未来まで

1 新時代を迎えて加速する
各国の宇宙開発競争 …………… 6

2 2021年2月に相次いだ
火星探査ミッション …………… 8

3 民間人が続々と宇宙へ
宇宙旅行時代の始まり ………… 10

4 「アポロ計画」から半世紀
人類は再び月を目指す ………… 12

5 月軌道プラットフォームを
国際協力のもとで建設 ………… 14

6 月の次に目指すのは火星
人類はついに火星に立つ ……… 16

7 宇宙旅行が手の届くものになり
火星移住も夢ではない時代に!? … 18

8 世界の宇宙関連の組織・企業
この中に君が将来働く場所が
あるかもしれない …………… 20

9 本書を読む前に知っておきたい
宇宙関連の基礎用語 ………… 22

Part 2 地球を脱出して宇宙を目指す

1 大気がほとんどなくなる
上空100kmからが宇宙 ……… 24

2 宇宙体験の第一歩は
まず100km上空まで行くこと …… 26

3 重いロケットが空を飛び
地球の重力から脱出するしくみ … 28

4 次世代民間ロケットは、再使用で
宇宙への輸送コストを削減 …… 30

5 地球を周回する最大の宇宙基地
ISSに民間の宇宙船が到着 ……… 32

6 老朽化が進むISSの後継は
民間ステーションになる? ……… 34

7 ISSでの研究が明らかにした
微小重力が人体に及ぼす影響 … 36

Part 3 もう一度月へ行こう

1 いまから半世紀も前に
12人が月に降り立った ………… 38

2 有人月探査の第2ステージ
アルテミス計画が始まった ……… 40

3 日本のJAXAと若い宇宙ベンチャーが
探査機を次々と月に送りこむ …… 42

4 月と火星への入り口
「ゲートウェイ」を建設 ………… 44

5 いよいよ人類が再び月へ
月面基地の建設を目指す ……… 46

6 人間が宇宙で生きるために
手に入れるべき5つの技術 ……… 48

7 チーム日本は2029年に
有人月探査ローバーを打ち上げ … 50

8 月面基地は2100年頃には
1万人が働く都市へと発展 ……… 52

Part 4 太陽系の もっと遠くへ

1 赤い惑星、火星へ！
無人探査半世紀の歩み …………54

2 火星有人飛行の有力候補
民間ロケット「スターシップ」……56

3 火星に移住した人類が暮らすのは
地球環境を再現したドーム都市 …58

4 人類は太陽の謎を知るために
観測衛星と探査機を飛ばした …60

5 太陽は核融合によって燃え
高温の太陽風を吹き出す ………62

6 太陽に最も近い水星は
まだ探査途上の小惑星 …………64

7 厚い雲に覆われた金星を
冷戦下の米ソが競って探査 ……65

8 灼熱地獄の金星でも
雲の中なら人も暮らせる …………66

9 太陽になれなかった巨大ガス惑星
木星は個性的な衛星を従える ……68

10 美しいリングをもつ土星
衛星には生命の可能性も ………70

11 氷とガスでできた青い星
天王星は横倒しで自転する ……72

12 太陽から最も遠い海王星は
暴風が吹く極寒の世界 …………73

13 冥王星と太陽系外縁を超えて
ボイジャーは太陽圏を脱出した… 74

14 地球からのメッセージを乗せ
ボイジャーは銀河系をゆく ……76

Part 5 ボイジャー君 宇宙の謎への飛行

1 銀河系を飛び出すと
そこは謎だらけの宇宙 …………78

2 なぜ銀河の中心に
ブラックホールが？
それは次なる大きな謎だ ………80

3 宇宙は未知の物質で満ちている
ダークマターもそのひとつ ………82

4 宇宙の膨張を加速する
未知のダークエネルギー ………84

5 宇宙から降り注ぐマイクロ波が
宇宙の誕生ビッグバンを証明した… 86

6 宇宙は無の空間から
泡のように次々誕生した⁉ ………88

おわりに
人類と地球の未来のために
私たちは宇宙から学び続ける…90

参考文献・参考サイト…………91

索 引 …………………………92

＊本書掲載の図版に関して、特に記載のないものは、公開資料をもとに編集部で作成したものです。

＊本誌に掲載した宇宙開発計画などの情報は、2021年9月時点のものであり、諸事情により変更となる可能性があります。

もはや夢ではなくなった 宇宙旅行や火星移住計画

地球が気候危機に さらされているいま 宇宙を目指す意義は どこにあるのか

　2050年代には人類の火星移住を開始する。そう宣言する民間宇宙企業のCEO（最高経営責任者）がいます。彼は現在そのための宇宙船の開発を本格的に進めていて、私たちはその宇宙船「スターシップ」の銀色の巨大な機体が、自動操縦で無事地上に再着陸した実験映像をYouTubeで見ることもできます。

　これまでSF小説や、未来予測の中で語られていた宇宙探検や宇宙旅行も、もう単なる憧れや、冒険物語の世界ではなく、私たちの日常の暮らしとつながる、極めてリアルな出来事となっています。

　本書を手にしてくれているあなたが、もし今14歳なら、2050年がきてもまだ43歳の働き盛り。もしかしたら、最初の火星移民団に参加しているかもしれません。民間人が気軽に月旅行が可能になると予想される2040年代であれば、30代半ばのあなたは、大奮発をして家族で月軌道を周回する宇宙ホテルに宿泊しているかもしれません。いや、そのホテルであなたも働いているかもしれません。

　しかし私たちには、この2050年という年度には、宇宙事業の目標とは別の、もう一つ大切な目標があります。地球温暖化による気候変動の悪影響を最小限に押しとどめるため、CO_2の排出をゼロにしようという国際的な努力目標の達成年度です。もしこの目標が達成されなければ、地球の気候が人類の生存を脅かす未来が予想されています。宇宙に出て行くよりも、人類の生存そのものに関わる危機を回避するために、人智と資金を集中するべきだ、そういう正論も当然聞こえてきます。

　なかにはもっと辛辣に、2050年の火星移住計画は、地球の気候変動による危機から逃れる人々の逃避行ではないか、と言う人もいます。2021年7月にアメリカのア

マゾン社創業者ジェフ・ベゾス氏が、自身の企業がつくったロケットで宇宙空間を飛行したとき、SNSで多くの人々がこうつぶやきました。
「宇宙に行ってらっしゃい。そしてもう帰ってこないで」
　人類の宇宙への進出が、いつか実現するかもしれない人類共通の無垢な夢だった時代は終わり、国家やイデオロギーの戦いの代理戦争であった時も過ぎ、宇宙事業は現実の人々の営みとして、その事業の意義を問われるものになったのです。
　いま、足元の地球に火がついているときに、宇宙への事業を推進する意義は、どこにあるのか。そんな本質的な疑問も投げかけられています。

　本書は、まず2019年を境に世界の宇宙をめぐる出来事が大きく変化したことに注目しました。それは、それまで国家が主導していた宇宙事業に多くの民間企業が参入し、宇宙事業を民間の経済活動の一つにしたことです。冒頭に記した2050年の火星移民計画もその流れで発せられたものです。このような新たな宇宙事業は、2100年代まで計画されています。
　まず、これからの約80年間に人々は宇宙で何をしようとしているのか、それを本書でたどってください。その過程でいっしょに考えましょう。人々が、宇宙と関わることに、どのような意義があるのか、あるいはないのかを。
　もしあなたが、将来宇宙で働きたい、そう思っていれば、この2100年までの宇宙事業から何を探し出すか、そのシミュレーションともなるでしょう。
　いずれにしても、さあ始めましょう。

Part 1
宇宙カレンダー 2019年から近未来まで ①

新時代を迎えて加速する 各国の宇宙開発競争

2019

A 2019年 1月3日　中国　CNSA
月探査機「嫦娥4号」世界で初めて月の裏側に着陸

B 2019年 5月23日　アメリカ　スペースX社
60機の通信衛星を一度に低軌道に放出する

C 2019年5月10日　アメリカ　ブルーオリジン社
月着陸機「ブルームーン」の詳細を発表

〈12歳〉

スターリンク　地球衛星軌道

2019

A

「嫦娥4号」は月の南極エイトケン盆地に着陸し、探査ローバー「玉兎2号」を月面に送り出した

「玉兎2号」には画像機器以外、地中レーダー、分光器、氷調査機器が搭載されている

2019年1月3日 中国の月探査機「嫦娥4号」世界で初めて、月の裏側に着陸

2018年12月8日 CNSA（中国国家航天局）によって西昌衛星発射センターより「長征3号B」で発射

月の裏側からの電波を受信するために、事前に月軌道に通信衛星が配備された

B

SPACE-X

スペースX社が進める、小型通信衛星で全地球をネットする「スターリンク計画」が進んでいる。すでに1,600機が打ち上げられている

C Blue Origin ブルーオリジン社

月着陸機「ブルームーン」の詳細データを公表。無人探査から有人の月面滞在まで多用途に使える着陸機。スペースX社と正式採用を競う

ブルーオリジン社はアマゾンの創業者ジェフ・ベゾス氏が設立した宇宙企業

D

探査機「ビクラム」は月面に着陸後、通信が途絶するも、着陸位置は確認されている

インドが独自開発のロケットGSLV-MKⅢで、月探査機「チャンドラヤーン2号」を打ち上げ

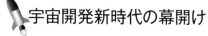

🚀 宇宙開発新時代の幕開け

　人類が初めて有人宇宙飛行に成功したのは1961年のこと。それから60年経ったいま、宇宙開発は新時代を迎えています。このパートでは、近年の出来事と2100年代までに予定されている主な宇宙プロジェクトを、年代を追って見ていきましょう。

　2019年から20年にかけて、宇宙開発新時代の幕開けともいうべき出来事が相次ぎました。2019年1月には、中国の月探査機「嫦娥4号」が、世界で初めて月の裏側に着陸。長年にわたり、アメリカとロシア（かつてはソ連）がリードしてきた宇宙開発の分野で、中国の成長はめざましく、大きな存在感を示し始めています。

しのぎを削る米中、新規参入の宇宙企業も

2019〜2020

> 人物下の年齢はもしも2019年に12歳だったとしたら何歳になっているかを示したもの

D 2019年7月22日　インド　ISRO
月探査機「チャンドラヤーン2号」月面へ降下中に通信途絶

2020

E 2020年5月5日　中国　CNSA
超大型ロケット「長征5号B」と新型有人宇宙船を初打ち上げ

F 2020年7月30日　アメリカ　NASA
〈13歳〉火星探査ミッション「マーズ2020」開始。探査機を打ち上げ

G 2020年10月13日　アメリカ　ブルーオリジン社
「ニューシェパード」無人打ち上げ実験に成功

H 2020年11月16日　アメリカ　スペースX社
商用有人宇宙船「クルードラゴン」で飛行士をISSへ

I 2020年12月6日　日本　JAXA
小惑星探査機「はやぶさ2」が小惑星「リュウグウ」からのサンプルリターンに成功

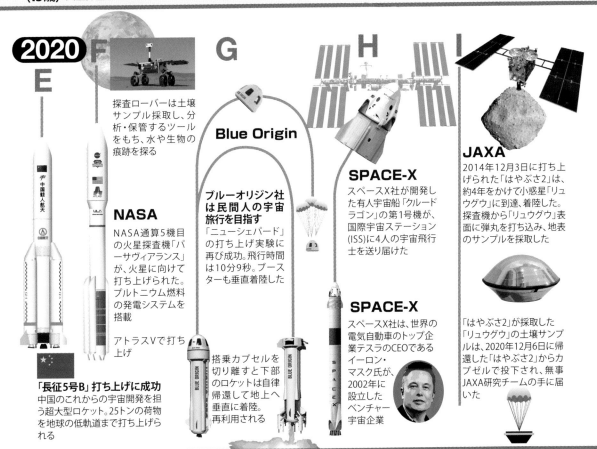

2020

E **F**

探査ローバーは土壌サンプル採取し、分析・保管するツールをもち、水や生物の痕跡を探る

G Blue Origin

NASA

NASA通算5機目の火星探査機「パーサヴィアランス」が、火星に向けて打ち上げられた。プルトニウム燃料の発電システムを搭載

アトラスVで打ち上げ

ブルーオリジン社は民間人の宇宙旅行を目指す

「ニューシェパード」の打ち上げ実験に再び成功。飛行時間は10分9秒。ブースターも垂直着陸した

搭乗カプセルを切り離すと下部のロケットは自律帰還して地上へ垂直に着陸。再利用される

「長征5号B」打ち上げに成功
中国のこれからの宇宙開発を担う超大型ロケット。25トンの荷物を地球の低軌道まで打ち上げられる

H

SPACE-X

スペースX社が開発した有人宇宙船「クルードラゴン」の第1号機が、国際宇宙ステーション(ISS)に4人の宇宙飛行士を送り届けた

SPACE-X

スペースX社は、世界の電気自動車のトップ企業テスラのCEOであるイーロン・マスク氏が、2002年に設立したベンチャー宇宙企業

I

JAXA

2014年12月3日に打ち上げられた「はやぶさ2」は、約4年をかけて小惑星「リュウグウ」に到達、着陸した。探査機から「リュウグウ」表面に弾丸を打ち込み、地表のサンプルを採取した

「はやぶさ2」が採取した「リュウグウ」の土壌サンプルは、2020年12月6日に帰還した「はやぶさ2」からカプセルで投下され、無事JAXA研究チームの手に届いた

　一方、NASA（アメリカ航空宇宙局）は、2020年7月に火星探査機「パーサヴィアランス」を打ち上げ、火星で生命の痕跡を調査することを目的とするミッション「マーズ（火星）2020」を開始しました。

　さらに新時代を象徴するのは、民間宇宙企業の参入です。オンラインストア大手アマゾン社の創業者ベゾス氏は、2000年にブルーオリジン社を設立。宇宙旅行の実現を目指し、2020年10月に「ニューシェパード」の無人打ち上げ実験にも成功しました。

　また、電気自動車のトップ企業テスラ社を率いるマスク氏は、2002年にスペースX社を設立。2020年11月には、民間企業として初めて、国際宇宙ステーション（ISS）に宇宙飛行士を送りこみました。

Part 1
宇宙カレンダー
2019年から
近未来まで
②

2021年2月に相次いだ火星探査ミッション

2021

A 2021年1月18日　イギリス　ヴァージン・オービット社「ランチャーワン」ロケットを空中発射し、衛星軌道への打ち上げに成功

B 2021年1月15日　アメリカ　ブルーオリジン社有人宇宙船「ニューシェパード」の無人テスト打ち上げと、回収・着陸に成功

〈14歳〉

C 2021年2月9日　アラブ首長国連邦（UAE）火星探査機アマル（ホープ）が、火星周回軌道に到着。アマルは日本のロケットH-IIAで種子島から打ち上げられた

D 2021年2月10日　中国　CNSA火星探査機「天問1号」が、火星の周回軌道に到達

E 2021年2月19日　アメリカ　NASA火星探査ミッション「マーズ2020」の探査機「パーサヴィアランス」火星に着陸

2021

A Virgin ORBIT
ヴァージン・オービット社独自方式で衛星打ち上げ成功
ボーイング747に取り付けたロケットを、高高度で空中発射して、衛星を低軌道上に打ち上げる実験に成功した。低コストで、どこの飛行場からでも打ち上げ可能になる

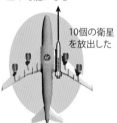

10個の衛星を放出した

リチャード・ブランソンの挑戦が実った
ヴァージン・オービット社は、イギリスの起業家リチャード・ブランソンが率いる宇宙開発企業、ヴァージン・ギャラクティックの子会社

B

Blue Origin
ブルーオリジン社の「ニューシェパード」発射・着陸に成功
有人飛行に向けて大きく一歩を踏み出した

C
UAEの火星探査機が火星に到着
アラブ首長国連邦(UAE)が打ち上げた探査機「アマル」が、火星周回軌道に到達した。UAEが目指す2117年の火星都市建設への第一歩

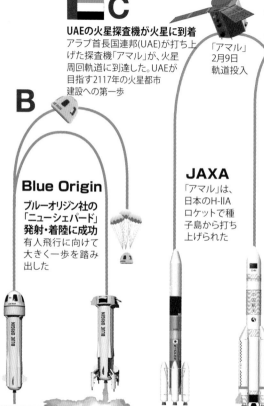

「アマル」2月9日軌道投入

JAXA
「アマル」は、日本のH-IIAロケットで種子島から打ち上げられた

「天問1号」2月10日軌道投入

「パーサヴィアランス」2月19日火星着陸

2021年は火星探査ラッシュの年

D
中国の探査機「天問1号」も到着
「天問1号」はランダーと探検車「マーズローバー」を搭載する。各種計測器と地中レーダーや磁場検出器をもち、火星の地勢の調査も実施する

「天問1号」は長征5号で打ち上げられた。長征5号は幾度かの開発遅延を乗り越えて実用化された、中国の大型ロケット

3カ国の探査機が火星に

　2021年2月は、前年7月に地球を飛び立った各国の火星探査ミッションが、相次いで火星に達した異例の月でした。

　先陣を切ったのは、火星都市建設を目指すアラブ首長国連邦（UAE）です。2月9日、中東初の火星探査機「アマル（英語名ホープ）」が、火星の周回軌道への投入に成功。翌2月10日には、中国初の火星探査ミッションとして、「天問1号」も火星の周回軌道に到達します。さらに2月19日には、NASAの火星探査機「パーサヴィアランス」が火星に着陸。搭載された小型ヘリコプター「インジェニュイティ」は、4月19日に火星での飛行に成功しました。

日本の宇宙ベンチャーも
独自分野で活躍

2021

F 2021年3月4日　アメリカ　スペースX社
再利用型の有人宇宙船「スターシップ」、打ち上げと着地に成功も、直後に爆発

G 2021年3月22日　日本　アクセルスペース社
量産型超小型衛星「GRUS」4基打ち上げ成功

H 2021年3月22日　日本　アストロスケール社
民間初のデブリ除去衛星を、ソユーズロケットで軌道上に打ち上げる

I 2021年3月25日　イギリス　ワンウェブ社
インターネット衛星をソユーズ2ロケットで打ち上げ。同衛星は2020年2月から打ち上げが開始され、計4万8000基を打ち上げ予定

J 2021年4月7日　アメリカ　スペースX社
60基のスターリンク衛星を、地球低軌道に打ち上げる

K 2021年4月19日　アメリカ　NASA
火星探査機の小型ヘリコプター「インジェニュイティ」の飛行に成功

「パーサヴィアランス」は2月18日に火星のジェゼロ・クレーターに着陸した

H Astroscale
宇宙のゴミ掃除衛星打ち上げ
日本のベンチャー企業アストロスケール社が軌道上デブリ除去衛星「エルサd」を打ち上げ、デブリ除去の実証実験を始めた

K NASA
火星探査機搭載のヘリコプター「インジェニュイティ」が初飛行に成功した。地球でいえば高度約1万2000m付近の薄い空気では、飛行は不可能といわれていた

NASA

スターリンク

J SPACE-X
スペースX社
わずか1カ月で300基の小型通信衛星を打ち上げた。使用ロケットは自社のファルコン9

E

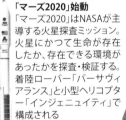

NASA
NASAの火星探査ミッション「マーズ2020」始動
「マーズ2020」はNASAが主導する火星探査ミッション。火星にかつて生命が存在したか、存在できる環境があったかを探査・検証する。着陸ローバー「パーサヴィアランス」と小型ヘリコプター「インジェニュイティ」で構成される

F SPACE-X
スペースX「スターシップ」の発射と着陸に成功
再利用可能な大型宇宙船「スターシップ」は、10km上昇したあと、自ら姿勢制御し着陸降下を行い、発射場への帰還に成功した

シップは帰還数分後に爆発炎上したが、これは燃料漏れが原因

G AXELSPACE
日本のベンチャーが地球観測衛星を打ち上げる
アクセルスペース社は量産可能な超小型衛星で、新しい地球センシング事業を目指している

「エルサd」はロシアのソユーズで打ち上げられた

　この時期に火星探査が集中したのは偶然ではなく、火星と地球が接近し、より少ない燃料で火星に到達できたためでした。

🚀 空中発射に成功したヴァージン

　2021年は民間宇宙企業の躍進も続きます。ブルーオリジン、スペースXと並んで注目を集めるのは、イギリスの企業家ブラ

ンソンが2004年に設立したヴァージン・ギャラクティック社です。その子会社ヴァージン・オービットは、同年1月18日にロケット「ランチャーワン」の空中発射に成功。飛行機の翼の下からロケットを発射するという画期的な方法で、地球周回軌道に人工衛星を投入し、射場基地がなくてもロケットを飛ばせることを証明しました。

民間人が続々と宇宙へ
宇宙旅行時代の始まり

2021

〈14歳〉

A 2021年4月23日　アメリカ　NASA
スペースX社のクルードラゴンで、4名の宇宙飛行士をISSに打ち上げる

B 2021年4月29日　中国　CNSA
宇宙ステーション「天宮」建設が始まり、最初のモジュールが打ち上げられた

C 2021年5月15日　中国　CNSA
火星探査機「天問1号」から分離されたランダーが火星に着陸成功

D 2021年7月12日　イギリス
ヴァージン・ギャラクティック社の創業者リチャード・ブランソン氏が、自社宇宙船に搭載し宇宙へ

E 2021年7月20日　アメリカ
ブルーオリジン社の創業者ジェフ・ベゾス氏、自社宇宙船ニューシェパードで、初めて宇宙飛行

F 2021年7月3日・31日　日本
宇宙ロケット開発ベンチャー、インターステラテクノロジズ社の低軌道用ロケットが発射成功

2021

A SPACE-X

スペースX
2度目のISSへの
宇宙飛行士輸送成功

飛行士の乗る「クルードラゴン」、打ち上げ用のファルコン9の第1段ブースターは共に再使用を予定。ミッション後、ブースターは自動帰還

4人の搭乗員のひとり星出彰彦氏はISS船長を務める。日本人としては2人目

B

中国
新しい中国の宇宙ステーション「天宮」

「天宮」は総質量66トン、通常定員3人が滞在できるコアモジュールと、2つの実験モジュールで構成される。コアモジュール「天和」は16.6m、最大直径4.2m。

「天宮」のコアモジュール「天和」が、「長征5号B」で打ち上げられた。こののち数度のモジュール打ち上げを続け、2022年度の完成を目指す。完成後は、有人宇宙船「神舟」で飛行士を運び、無人補給船「天舟」が物資輸送を担う

「長征5号B」で
打ち上げに成功

「長征5号B」ロケットは、長く開発が続いていた「長征5号」の発展型。世界のロケットの中でも、最大級のペイロードをもつ

C

中国の火星探査機「天問1号」から、火星着陸機が火星北半球に着陸し、搭載する探査車が走行した

D

宇宙体験に歓喜するブランソン氏

スペースシップ2

VIRGIN GALACTIC

E

先に宇宙飛行をしたブランソン氏に対して、85kmは宇宙ではないと、ベゾス氏がツイッターで抗議。ブランソン氏は優雅に滑空して着陸し、ベゾス氏はパラシュートで荒野に着陸した

俺は100kmだ

85km

Blue Origin
ニューシェパード

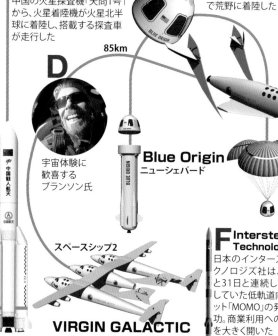

F Interstellar Technologies

日本のインターステラテクノロジズ社は、7月3日と31日と連続して、開発していた低軌道向けロケット「MOMO」の発射に成功。商業利用への可能性を大きく開いた

現実に近づく宇宙旅行

　2021年7月、2人の実業家の動向（どうこう）に世界の注目が集まりました。米ブルーオリジン社のベゾス氏と英ヴァージン・ギャラクティック社のブランソン氏が、自ら（みずか）宇宙船に乗りこむことを表明し、どちらが先に宇宙に行くか、熱い視線が注（そそ）がれたのです。

　先制（せんせい）したのは、ブランソン氏でした。7月12日、氏を乗せた宇宙船「スペースシップ2」は、高度約85kmまで上昇し、約70分間の飛行に成功。ジェット機に搭載（とうさい）したロケットを上空で途中で切り離して上昇するという独自方式も話題を呼びました。

　一方、ベゾス氏の乗る宇宙船「ニューシェパード」は、7月20日、ロケットに搭載さ

宇宙ベンチャー創業者
自ら宇宙の旅

2021~2022

G 2021年10月31日　NASA ESA CSA
ハッブル宇宙望遠鏡の後継、ジェイムズ・ウェッブ宇宙望遠鏡をアリアン5で打ち上げ予定

H アメリカ　スペースX社
「インスピレーション4」を実施。民間人4人が「クルードラゴン」で地球軌道を周回した

I 日本　JAXA
次期主力ロケットH3を、2021年度中に打ち上げる予定

J アメリカ　アクシオム・スペース社
民間人4人のISSでの宇宙滞在旅行を計画

2022

K ESA・NASA・JAXA
木星氷衛星探査機「JUICE」が、ガニメデに向け打ち上げ予定

L 中国　新宇宙ステーション完成予定

〈15歳〉

G

ジェイムズ・ウェッブ
宇宙望遠鏡
太陽周回軌道に
打ち上げられる予定

NASA ESA CSA
ジェイムズ・ウェッブ宇宙望遠鏡

六角形のミラーを蜂の巣状に組み合わせ、反射鏡面積を最大限にした構造をもち、過去最高の解像度を誇る。初期銀河の成り立ちの究明が期待されている

「アリアン5」で打ち上げ
事故などで開発が遅れていたが、世界最大級のペイロードをもつ

H 民間人の宇宙旅行が始まる

初の民間人だけの飛行
インスピレーション4

アメリカの決済システム企業のCEOがチャリティーで行う宇宙旅行。「クルードラゴン」で地球の低軌道を3日間周回した。使用された「クルードラゴン」は、4月のISSへの飛行士の輸送にも使用された

クルーの4人は、主催者のジャレッド・アイザックマン船長の他は、チャリティーの趣旨に沿って選抜された

JAXA
日本　JAXAのH3ロケットが打ち上げられる

長く延期されていたH3ロケットの発射は、2021年度内に予定されている

I

2022

J 民間人がISSに滞在する

アクシオム・スペース社の宇宙旅行が始まる。民間人4人がISSに8日間滞在する予定

ESA JAXA NASA

ESA・NASA・JAXA協同の木星探査ミッション「JUICE」発進する

K 木星氷衛星探査計画「JUICE」

木星の衛星ガニメデ、カリスト、エウロパの3つを探査する

欧州宇宙機関(ESA)主導の計画に、日本、アメリカが協力する国際ミッション。氷の内部に海洋をもつと考えられている、木星の3つの衛星を探査する。木星到着までに25回のスイングバックを必要とするための、高度な軌道航行技術が必要。日本は4つの観測機器を提供している

L 中国の宇宙ステーション「天宮」が完成、運用開始

この宇宙ステーションは国際的な研究に開放され、現在27カ国から42の研究課題が寄せられている

2024年には、ハッブル宇宙望遠鏡並みの望遠鏡を打ち上げ、ステーションとの一体運用を目指している

れて打ち上げられ、高度約100kmまで上昇。完全自動化された宇宙船は、約10分の飛行を終えて無事地上に帰還しました。

　宇宙開発企業の創業者が、相次いで宇宙飛行を成功させたことで、民間人の宇宙旅行が、また一歩、現実に近づきました。ヴァージン・ギャラクティック社もブルーオリジン社も、無重力を体験できる小宇宙旅行の予約をすでに受け付けています。

　このほか、米スペースX社は、2021年9月に、民間人だけを乗せた宇宙旅行ミッション「インスピレーション4」を実施。米アクシオム・スペース社は、2022年1月までに、民間人を国際宇宙ステーション(ISS)に送りこむ予定です。各社とも、宇宙旅行の商業化に向けて、しのぎを削っています。

Part 1
宇宙カレンダー
2019年から
近未来まで
④

「アポロ計画」から半世紀 人類は再び月を目指す

2022

A 日本　JAXA
X線天文衛星「XRISM」を打ち上げる予定

B 日本　JAXA
無人月探査機「SLIM」を打ち上げる予定

C 日本　ispace社
月探査ミッション「HAKUTO-R」を開始。
〈15歳〉月探査機の月着陸を目指す

2023

D 日本　JAXA
第3世代測位衛星システム「みちびき」7機体制へ

E アメリカ　NASA
木星の衛星エウロパ探査機「エウロパ・クリッパー」を
2023年から2025年までに打ち上げる予定

F アメリカ　スペースX社
〈16歳〉スターシップでの月周回軌道の宇宙旅行を計画。日本
人も参加予定

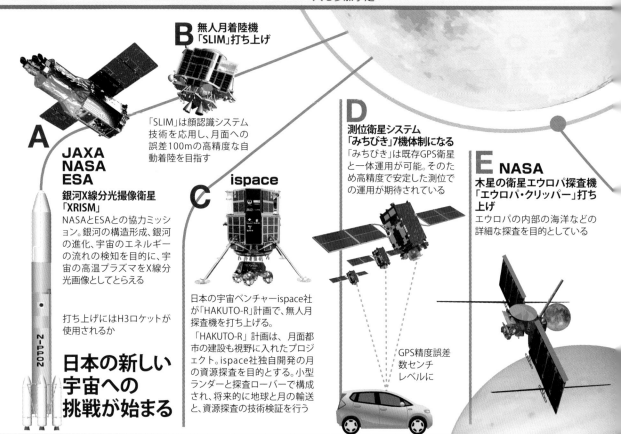

B 無人月着陸機「SLIM」打ち上げ

「SLIM」は顔認識システム
技術を応用し、月面への
誤差100mの高精度な自
動着陸を目指す

A JAXA NASA ESA

銀河X線分光撮像衛星
「XRISM」
NASAとESAとの協力ミッショ
ン。銀河の構造形成、銀河
の進化、宇宙のエネルギー
の流れの検知を目的に、宇
宙の高温プラズマをX線分
光画像としてとらえる

打ち上げにはH3ロケットが
使用されるか

**日本の新しい
宇宙への
挑戦が始まる**

ispace

C

日本の宇宙ベンチャーispace社
が「HAKUTO-R」計画で、無人月
探査機を打ち上げる。
「HAKUTO-R」計画は、月面都
市の建設も視野に入れたプロジェ
クト。ispace社独自開発の月
の資源探査を目的とする。小型
ランダーと探査ローバーで構成
され、将来的に地球と月の輸送
と、資源探査の技術検証を行う

D 測位衛星システム「みちびき」7機体制になる

「みちびき」は既存GPS衛星
と一体運用が可能。そのた
め高精度で安定した測位で
の運用が期待されている

GPS精度誤差
数センチ
レベルに

E NASA 木星の衛星エウロパ探査機「エウロパ・クリッパー」打ち上げ

エウロパの内部の海洋などの
詳細な探査を目的としている

 NASAを中心に月探査再始動

このページからは、近い将来、予定され
ている宇宙開発計画を紹介します。

人類が初めて月面を踏んだ1969年以来、
アメリカは「アポロ計画」によって、6回の
有人月面着陸を成功させました。その後、
長い間、計画は中断されていましたが、半

世紀を経たいま、再び人類を月に送りこむ
「アルテミス計画」が始動しています。

この計画の目標は、宇宙飛行士を再び月
面に着陸させ、その後、月面や火星に向け
た中継基地として、月軌道プラットフォー
ム「ゲートウェイ」をつくり、最終的には
火星探査を目指すというもの。NASAを中
心とした国際的プログラムであり、日本を

日本も月探査に向け
新たな挑戦を始める

2022~2024

2024
〈17歳〉

G 日本・フランス・ドイツ
火星探査機「MMX」を打ち上げ予定

H アメリカ　NASA
「アルテミス計画」始動。有人月面着陸「アルテミス」計画と連動する月軌道プラットフォーム「ゲートウェイ」構築始まる。物資の打ち上げはスペースX社も担当

I アメリカ　アクシオム・スペース社
ISS商用利用のためのモジュールの打ち上げ

J アメリカ　NASA
2018年打ち上げの太陽探査機「パーカー・ソーラー・プローブ」が太陽に最接近する

F SPACE-X
「スターシップ」を使った、日本の民間人によるチャーター飛行が行われる。

10人程度の旅行者は、6日程度の月の周回軌道を回る宇宙旅行をする予定

G JAXA・CNES・DLR
火星探査・帰還機「MMX」打ち上げ
JAXA CNES DLR

「MMX」のミッションは、火星の衛星フォボスかダイモスに着陸し、地表サンプルを地球に持ち帰ること。成功すれば人類は初めて、火星近傍の物質を手にすることになる。火星との往還技術、高度なサンプリング技術、深宇宙との通信技術など、今後の惑星探査に必要な技術獲得も期待されている

アクシオム・スペース社
ISSに自社商用モジュールを構築する

AXIOM SPACE

H NASA ESA JAXA
月軌道プラットフォーム「ゲートウェイ」
アメリカを中心に日本・欧州・カナダなどが協同で建設する宇宙ステーション。月への往復と、月面基地の建設、そして火星への有人飛行の基地となる

「アルテミス計画」再始動
2019年に始動した「アルテミス計画」のゴールは人類の火星到達。その第一ステップが人類再度の月着陸と、そのための月周回軌道上へのプラットフォームの建設

J NASA
2018年8月12日に打ち上げられたNASAの太陽探査機「パーカー・ソーラー・プローブ」は、太陽コロナの中に突入して太陽半径のわずか8.5倍にまで接近する

NASA

はじめ複数の国々が参加しています。

日本独自の探査機も月へ

　日本の宇宙開発において中心的役割を担うのは、国立の研究機関JAXA（宇宙航空研究開発機構）です。JAXAは、独自に開発した小型月着陸実証機「SLIM」の打ち上げを2022年に予定。降りたい場所にピンポイントで降りる、誤差の少ない高精度の着陸を目指しています。

　また、日本の宇宙ベンチャー、アイスペース社も、2022年の月面着陸を目指しています。これは日本初の民間月探査となる「HAKUTO-R」計画の第１ミッションであり、翌年には第２ミッションとして、月面探査を予定しています。

月軌道プラットフォームを国際協力のもとで建設

2025
A 日本・フランス・ドイツ
火星探査機「MMX」火星到着

2026
B アメリカ　NASA
土星探査「ニューフロンティア計画」で、探査機「ドラゴンフライ」を打ち上げ予定

〈18〜19歳〉

2027
C ESA・カナダ・日本
月探査計画「ヘラクレス」始動。日本は着陸機本体を担当

〈20歳〉

2028
D アメリカ　NASA
月軌道プラットフォーム「ゲートウェイ」完成予定

E アメリカ　NASA
月軌道プラットフォーム「ゲートウェイ」を経て、59年ぶりに2人の人類を月面に到着させる?

〈21歳〉

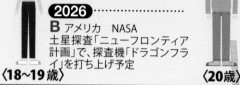

JAXA・CNES・DLR A
「MMX」火星に到着
1年をかけて火星の衛星に到着し、3年をかけて周回観測を続け、数回の着地を実施する

ビゲローの宇宙ホテルは、空気で膨らむしくみ。打ち上げ時は小さく、宇宙空間で大きく展開でき、快適な居住空間を提供できると謳われている

ビゲロー・エアロスペース社が、民間商用ステーション（宇宙ホテル）を打ち上げ

BIGELOW AEROSPACE J

JAXA CNES DLR G
5年後に「MMX」は10グラム以上のサンプルを地球に持ち帰る。火星型衛星の起源を知るために貴重な試料となる

D
「ゲートウェイ」完成する
月軌道上に建設されたゲートウェイには、いくつもの役割がある。月と地球との中継基地として、通信の中継、月への発着拠点、実験棟での科学観測と実験、火星への有人飛行のための基地としての役割をもつ。将来の月面基地建設のための中継基地の役割も大きい

地球

B
土星の惑星タイタン探査機「ドラゴンフライ」打ち上げ
タイタンは初期の地球と似た環境。地球の生命誕生の手がかりを求めている

NASA

9年後の2035年に「ドラゴンフライ」はタイタンに到着する。それから2年8カ月をかけてドローン探査機はタイタンを飛び、環境の探査を続ける

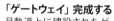

NASA ESA JAXA

🚀 月探査の拠点「ゲートウェイ」

　NASA（ナサ）が主導（しゅどう）する「アルテミス計画」で重要な役割をもつのが、月軌道（つきぎどう）上に建設される宇宙ステーション「ゲートウェイ」です。地球と月の中継（ちゅうけい）基地として使われ、ゆくゆくは火星に向かうための基地となることが想定されています。

　国際宇宙ステーション（ISS）と同じように、国際協力のもとで建設が予定されており、日本のJAXA（ジャクサ）は、NASAや欧州宇宙機関（ESA）（イーサ）と連携（れんけい）して国際居住モジュールなどを担当することが決定しています。

　予定では、2024年に男女2人の宇宙飛行士を月面に着陸させ、並行してゲートウェイを建設することになっていました

月面着陸の次は
本格的な月面探査

2025〜2029

F 中国
有人月着陸機「嫦娥」で、月面に到着を予定する

2029

G 日本・フランス・ドイツ
火星探査機「MMX」が地球に帰還。各種サンプルを届ける

〈22歳〉

H 日本　トヨタ・JAXA
月探査用有人与圧ローバーを月に届ける

I ロシア・中国
共同で月軌道上か月面に基地の建設を始める

J アメリカ　ビゲロー・エアロスペース社
月周回軌道上に宇宙ホテルを建設し、営業を始める

K アメリカ　NASA
月軌道プラットフォーム「ゲートウェイ」から、火星へ向けて航行するスターシップの検証を始める

F 中国
「嫦娥計画」によって、アメリカに対抗し宇宙飛行士の月面着陸を実施する

H TOYOTA JAXA
有人与圧月面車を月面に送る
国際有人月面探査に不可欠な大型与圧ローバーを、日本のトヨタが開発し、JAXAが提供する。水素燃料電池で駆動し、2名が滞在し探査活動が可能

TOYOTA JAXA

火星

土星へ

2人の宇宙飛行士が月面に到着する
月着陸船として、スペースX社のスターシップの採用が予定されている
到着後に補給物資の輸送を実施して、月面での活動拠点作りが始まる
SPACE-X

I
中国・ロシア協同で月面基地の建設を始める

月

SPACE-X

E 宇宙飛行士
再び月に

ESA CSA JAXA

C
大型無人月着陸機「ヘラクレス」月面着陸

K
有人火星探査のための宇宙船にスペースX社の「スターシップ」が選定され、その飛行検証が始まる
スターシップは100トンの荷物、または100人の乗客を載せることができる。スペースX社はこの宇宙船で火星までの飛行を計画している

本格的な有人月着陸へ向けた技術実証のための「ヘラクレス」計画。日本のJAXAが着陸機本体を、カナダ宇宙庁がローバーを、ESAが離陸機を開発する。ローバーが採取したサンプルをこれでゲートウェイに持ち帰る

が、諸事情により延期が検討されているようです。いずれにしても、ゲートウェイが完成すれば、月探査にいっそうの弾みがつくことは間違いありません。

ゲートウェイの完成と有人月面着陸に向けて、各国は無人月面着陸機の実証試験に乗り出しています。そして、月着陸実験の次に目指すのは、有人月面探査に向けた

無人月面探査です。

ESA、カナダ宇宙庁（CSA）、日本のJAXAは、共同で「ヘラクレス計画」を進めています。これは、無人月面ローバー（探査車）を送りこみ、採取したサンプルをゲートウェイに持ち帰り、有人宇宙船で回収するというもので、2026年に打ち上げを予定しています。

Part 1 宇宙カレンダー 2019年から近未来まで ⑥

月の次に目指すのは火星
人類はついに火星に立つ

2030

A 日本　JAXA
日本人宇宙飛行士、初めて月面に到着する

B アメリカ　NASA
「アルテミス計画」火星へ向けて始動

〈23歳〉

C ESA・NASA・JAXA
木星探査機「JUICE」木星系に到達

D 中国　CNSA
地球軌道上へのスペースプレーン「天空飛機」が登場する

E アクシオム・スペース社など
ISSの民間活用が本格化する

2031

F アメリカ　NASA
火星無人探査機「パーサヴィアランス」が、火星の試料を地球に届ける

G ESA・NASA・JAXA
木星探査機「JUICE」が探査活動を始める

〈24歳〉

B NASA

NASA「アルテミス計画」いよいよ火星へ
NASAのジム・ブライデンスタイン長官は、2033年までに有人火星探査を行うと表明

A ついに、日本人宇宙飛行士月面に立つ!!
日本は、アメリカの「アルテミス計画」に積極的な協力を行い、月軌道の「ゲートウェイ」の運営・活動でも主要メンバーとして貢献する。当然、その過程で月面での活動のチャンスも巡ってくる

D 中国版スペースシャトルが、宇宙ステーションと地球を往復する

K 中国・ロシアの月面協同基地も完成

JAXA

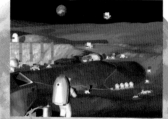

J 提供JAXA

JAXA月面に燃料工場を建設
月面の南極付近に存在する水からロケット燃料となる水素を製造する施設を建設する。月面で燃料を製造すれば、地球からの運搬が必要なくなる

AXIOM SPACE

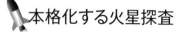

E **ISSの民間活用本格化**
アクシオム・スペース社の宇宙ホテル
ISSを活用して独自モジュールを追加し、宇宙観光に利用する

NASA

「ゲートウェイ」と月との往復輸送に、スペースX社の「スターシップ」がNASAによって選定されている

SPACE-X

 ## 本格化する火星探査

　人類が月の次に目指すのは、過去に生命が存在した可能性があると考えられている火星です。2030年代には、いよいよ本格的な火星探査が始まります。

　火星の無人探査は、これまでも行われ、撮影や観測データの伝送などに成功していますが、次のステップとなるのは、サンプルリターン（地球外から岩石などの試料を持ち帰ること）です。この課題に挑むのが、NASAと欧州宇宙機関（ESA）がタッグを組む「マーズサンプルリターン」計画です。2021年に火星に着陸したNASAの探査機「パーサヴィアランス」がサンプルを集め、ESAのローバーがそれを回収。地球に持

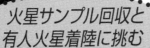

火星サンプル回収と
有人火星着陸に挑む

2030〜2035

2033
H アメリカ　NASA
人類が初めて火星に到達
する。火星基地の建設を始
める
〈26歳〉

2034
I アメリカ　NASA
土星探査機「ドラゴン
フライ」が、土星の衛
星タイタンに着陸
〈27歳〉

2035
J 日本　JAXA
月面の水を原料とする、ロケット
燃料工場施設を建設する

K 中国・ロシア
中国・ロシア協同の月面基地がで
きる
〈28歳〉

I NASA

H NASA

人類が初めて火星に降り立つ
火星への飛行には7カ月が予定さ
れている。火星に到着した飛行士
は、地球と火星の距離が近づくまで
15カ月間滞在する。その間火星で
生存するための、住居、医療、食料、
エネルギーなどについて学ぶこと
になる

最初の基地は小型ドーム式
のモジュールで建設される

タイタンに「ドラゴンフライ」が到着する
太陽系の衛星として唯一大気が存在する
環境で、2年8カ月の探査を続ける

**ESA JAXA
NASA**

C ESA・NASA・JAXA協同の
「JUICE」
木星系に到着する

G 「JUICE」
探査活動を始める

NASA
**「パーサヴィアランス」
の火星サンプルが地球に**
「パーサヴィアランス」が収集
したサンプルを、ESAが派遣す
る収集ローバーが集め、帰還
機に搭載されて、地球に初め
て火星の試料が運ばれる

F

ち帰るのは、2031年を予定しています。
　NASAはアルテミス計画の最終目標とし
て、2033年までに火星に人類を送りこむ
ことを目指しており、サンプルリターンに
成功すれば、計画に弾みがつきます。

木星や土星の衛星にも到着

　2030年代に人類が目指すのは、火星だ

けではありません。
　ESAが主導し、日米も参加する世界的な
木星氷衛星探査計画「JUICE」も、2030
年頃に木星系に到着し、探査活動を始める
予定です。また、NASAのドローン探査機
「ドラゴンフライ」が、地球と似た環境を
もつ土星の衛星タイタンに到着するのも、
2030年代中頃と見られています。

宇宙旅行が手の届くものになり 火星移住も夢ではない時代に!?

E 大林組
宇宙エレベーター が稼働し始める

日本の建設会社大林組が提唱。現在人類が手にする最強の物資「カーボンナノチューブ」を使って、静止軌道までチューブを伸ばし作った軌道を使って、エレベーターのように宇宙に登ろうという構想

2040年代

A NASA・ESA協同で、火星の活動拠点の拡張を行う

B ロシア・中国・NASA 惑星間航行ロケットのエンジンに原子力が利用される

C 地球周回軌道上の太陽光発電が稼働

宇宙旅行費用の 劇的低下

F 宇宙観光が 一般庶民のものに

宇宙エレベーターが簡単に人々を静止軌道まで運ぶと、その費用は格段に安くなる。宇宙旅行が数百万円の時代が来るといわれている ▶▶▶

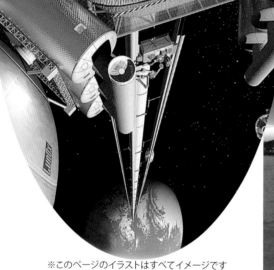

C 宇宙太陽光 発電所が稼働

地球の衛星軌道上に設置した施設で太陽光発電を行い、その電力をマイクロ波またはレーザー光に変換して地上の受信局に送り、地上で再び電力に変換する。地球では無尽蔵の電力を、ほぼ365日24時間にわたって利用できる

※このページのイラストはすべてイメージです

🚀宇宙の旅がもっと身近に

上のイラストは、2040年代以降の宇宙開発の進展(しんてん)を予想したものです。未来の人類は、どこまで宇宙に近づけるでしょう?

21世紀後半、宇宙旅行はもはや夢ではなくなっているかもしれません。参加者の増加やロケットの再利用技術の向上などに

よって料金が下がれば、一般の人も宇宙体験を楽しめるようになるでしょう。

地上から宇宙までをつなぐ夢の乗り物、宇宙エレベーターも実用段階に入っているかもしれません。宇宙エレベーターとは、地上と宇宙をケーブルでつなぎ、エレベーターのように昇降機(しょうこうき)を移動させて、人や物資(ぶっし)を運ぼうというもの。実現すれば、ロケッ

2050年代

D アメリカ　スペースX社
火星都市の建設を始め、そのための移民の輸送を始める

E 日本　大林組
宇宙エレベーターが実用段階になる

F 地球軌道上に様々な民間の施設が誕生する。同時に、一般の人々の宇宙旅行が大人気に

2100年代頃までに

G アメリカ　スペースX社
火星に1万人の住む都市を建設する

H アラブ首長国連邦（UAE）
2117年までに火星都市を建設

2050年代は、月・火星への宇宙移民の時代か

D SPACE-X

火星に人類の新しい社会を創造する
スペースX社のイーロン・マスク氏は2050年代からの火星移民計画を提唱している。地球環境の破壊、戦争、疫病などの人類の危機にさいして、地球文明の逃避先として、火星に独自社会を形成する必要を主張している

B ロシア・中国・NASA 原子力エンジンを実用化

惑星間、恒星間飛行のためには、現在のロケットのエンジンでは無理。核エネルギー推進エンジンの開発が進んでいる。実用化は2040年代か

A NASA ESA

NASA・ESAなど協同で、火星での活動拠点の拡大が図られる

G 火星都市の想像図
SPACE-X

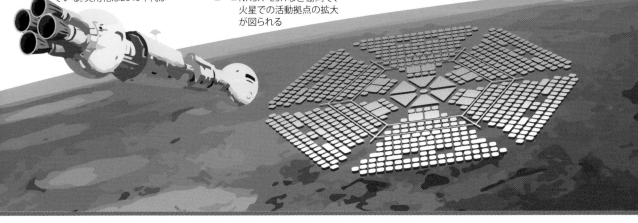

トよりもはるかに手軽に、安全に、宇宙に到達できるようになるでしょう。

🚀22世紀は宇宙移民の時代？

　宇宙旅行の次に人類が目指すのは、宇宙に住むことです。米スペースX社のマスク氏は、壮大な火星移住計画を発表していますし、アラブ首長国連邦（UAE）は、2117年までに火星に都市をつくって移民を送りこむことを計画しています。

　宇宙移民を可能にするためには、地球と同じ環境を整える必要があり、NASAをはじめ各国の宇宙機関や民間宇宙企業が、この問題に取り組んでいます。22世紀を迎える頃、はたして人類は、月や火星に住めるようになっているでしょうか。

世界の宇宙関連の組織・企業
この中に君が将来働く場所があるかもしれない

世界主要国の宇宙関連組織

NASA　アメリカ航空宇宙局
(National Aeronautics and Space Administration)
マーキュリー計画、ジェミニ計画、アポロ計画など、人類の宇宙開発をリードしてきたアメリカ合衆国に属する機関。アルテミス計画で月と火星を目指す。

Roscosmos　ロスコスモス社（Роскосмос）
ソ連崩壊後の1992年にロシア宇宙庁が設立された。組織改編ののち、現在のロスコスモス社に。月探査基地計画では中国と協力する。

CNSA　中国国家航天局（国家航天局）
中国の宇宙開発の運用を行っている国家組織。軍事開発や発射センターの管理等は人民解放軍の管轄となっている。

JAXA　国立研究開発法人宇宙航空研究開発機構
2003年に宇宙科学研究所と航空宇宙技術研究所、宇宙開発事業団が統合し発足。ロケット開発、人工衛星と無人宇宙探査で世界の宇宙研究に貢献している。調布、筑波、種子島など10カ所以上の施設からなる。

ESA　欧州宇宙機関（European Space Agency）
前身は欧州ロケット機構。1975年ESA設立。現在22カ国が加盟する欧州の宇宙開発機関。カナダも特別協力国として参加。本部はパリ。アリアンスペース社を通じて商用打ち上げサービスも行う。

ISRO　インド宇宙研究機関
(Indian Space Research Organisation)
インドの宇宙開発の父ヴィクラム・サラバイが初代長官。現在は月・火星・金星などの探査ミッションに注力。PSLV、GSLVなどの主力ロケットを開発。

CSA　カナダ宇宙庁（Canadian Space Agency）
カナダの宇宙開発を担う組織。NASAや欧州宇宙機関と密接に連携している。CSAが独自に開発したロボットアームがISSで使用されている。

UAESA　UAE宇宙機関（UAE Space Agency）
2014年設立のアラブ首長国連邦の宇宙事業研究機関。エミレーツ火星ミッションで、観測衛星の火星周回軌道への投入を成功させた。

CNES　フランス国立宇宙研究センター
(Centre National d'Ėtudes Spatiales)
フランスの宇宙開発・研究を行う政府機関。欧州宇宙機関（ESA）で中心的な役割を果たしている。

DLR　ドイツ航空宇宙センター
(Deutsches Zentrum für Luft-und Raumfahrt)
ドイツの航空技術と宇宙開発を担う政府機関。フランスと並んでESAを牽引し、JAXAとも共同研究を進める。本部はケルン。

世界の宇宙に関わる民間企業
ロケット製造・打ち上げサービス

★大型ロケットメーカー
【アメリカ】
ロッキード・マーティン
アメリカの老舗航空・宇宙メーカー。「アトラス」ロケットや「オリオン」宇宙船などの製造を担っている。

ボーイング
世界最大の航空宇宙機器開発会社。軍事・商用のロケットを開発。現在はアルテミス計画のロケット「スペース・ローンチ・システム」の開発製造を担当。

スペースX
イーロン・マスクが立ち上げた宇宙開発メーカー、打ち上げサービス会社。「ファルコン9」ロケットや、史上最大の打ち上げシステム「スターシップ」と「スーパーヘビー」を開発中。宇宙船「クルードラゴン」の製造、ISS間の輸送も行う。

エアロジェット・ロケットダイン
アメリカ随一の老舗ロケットエンジンメーカー。アポロ計画で使用された「サターンV」「スペースシャトル」「SLS」などのエンジンを開発製造。

ユナイテッド・ローンチ・アライアンス（ULA）
ロッキード・マーティンとボーイングの打ち上げ部門を合併した打ち上げサービス企業。両社製造のロケット「アトラスV」「デルタV」「ヴァルカン」などを運用。

ブルーオリジン
アマゾンの創業者ジェフ・ベゾスが創業。超大型ロケット「ニューグレン」や月着陸船の開発を行っている。

人工衛星製造・運用・サービス関連企業

〈人工衛星開発・製造企業〉
★大型衛星開発・製造
【アメリカ】
ロッキード・マーティン
人工衛星の基本機能を標準化した汎用衛星プラットフォーム＝衛星バスシリーズを製造している。

ボーイング
早期警戒衛星、GPS衛星、通信衛星などを製造。

スペースシステムズ／ローラル
世界最初の通信衛星「クーリエ1B」を開発。

【ヨーロッパ】
エアバス・デフェンス・アンド・スペース
静止軌道に投入される通信衛星などを製造。

タレス・アレニアス・スペース
通信から探査衛星まで、宇宙の総合デベロッパー。

【日本】
三菱電機
太陽観測衛星「ひので」、準天頂衛星システム「みちびき」など多くの観測衛星を製造。

NEC
気候変動観測衛星「しきさい」、静止気象衛星「ひまわり」など多数の衛星を製造。

★小型衛星開発・製造
【アメリカ】
ヨーク・スペース・システムズ
小型衛星の大量生産化を可能とする独自バスを開発。

レイセオン・テクノロジーズ
人工衛星の開発も行う巨大軍需企業。エンジン開発で名高いプラット＆ホイットニーを配下に置く。

【イギリス】
サリー・サテライト・テクノロジー
小型衛星開発とスペースデブリ処理衛星の開発。

【デンマーク】
ジーオーエム・スペース
超小型衛星サテライトシステムの開発と提供。

【ロシア】
GKNPTs クルニチェフ 「プロトン」「アンガラ」を開発
NPO エネゴマシュ 「ソユーズ」のエンジンを開発

【中国】
中国航天科技集団有限公司（CASC）
1999年に中国国家航天局から独立した中国の国有企業。傘下の研究所や企業がロケット、宇宙船、衛星、ミサイル等を開発製造しており、CASCはその統括を行う。

【日本】
三菱重工業
日本のロケット開発の統括メーカー。

ロケットコンポーネントの主な企業
IHI、IHIエアロスペース、川崎重工、日本航空電子工業、NEC スペーステクノロジー、三菱プレシジョン

【ヨーロッパ】
エアバス・デフェンス・アンド・スペース
アリアンスペース
アリアンロケット打ち上げの専門会社。アリアン4により世界の商用ロケット打ち上げで成功した。ソユーズロケットの打ち上げも請け負う。

【インド】
インド宇宙研究機関が全体を担っていたが、近年、Agnikul Cosmos、Skyroot Aerospace、Vesta Space Technology などの新しい企業が参入している。

【日本】
キヤノン電子
キヤノンの光学技術を生かした超小型衛星の提供。

アクセルスペース
超小型衛星の提供と、地球センシングサービス。

★衛星部品供給企業の主要企業
Honeywell、Raytheon Sodern、ThrustMe、MDA(Maxar Technologies)
Berlin Space Technologies、日本飛行機、IHI エアロスペース、多摩川精機

★衛星地上運用システム企業
L3、Kratos Defense and Security Solutions、NEC

★通信サービスの主な企業
Softbank、KDDI、Globalstar、EchoStar、Intelsat S.A.、BeepTool、MEASAT

★通信衛星コンステレーション関連企業
Intelsat、SpaceX、O3b、Orbcomm、Amazon、スカパー JSAT、OneWeb、Eutelsat

★衛星画像データサービス
Orbital Insight、DescartesLabs、SpaceKnow、Ursa Space Systems、Maxar、日立ソリューションズ、JSI、e-GEOS、Geocento

★位置情報提供事業
Caterpillar、小松製作所、クボタ、ヤンマー、日立造船、マゼランシステムズ

★リモートセンシング
Orbital Insight、CapeAnalytics、Descartes Labs、SpaceKnow、TellusLabs、Ursa Space Systems、Rezatec、RS Metrics、Bird.i、ESRI、RESTEC、パスコ、天地人

★農園管理・生育情報
Planet、FarmShots、Dacom、Satellogic、Astro Digital、eLEAF、珈和科技 (JiaHe Info)、ジアホー・インフォ)、日立ソリューションズ、ビジョンテック、ファームシップ、アットビジョン、青森県産業技術センター

★小型ロケットメーカー・サプライヤー

【アメリカ】
ロケット・ラボ
小型ロケット「エレクトロン」での小型衛星の打ち上げ事業を行っている。3Dプリンターを使って、低コストエンジンを開発した。

ヴァージン・オービット
リチャード・ブランソン率いるヴァージングループの小型ロケット「ランチャーワン」による衛星打ち上げ企業。「ランチャーワン」は航空機で上空から発射される。

【中国】
ワンスペース
2015年設立のベンチャー。「OS-X」ロケットの打ち上げに成功し、以後小型ロケット開発を加速している。

アイスペース
3段の固体ロケットと1段の液体燃料ロケットからなる「ハイパーボラ1S」を開発し、衛星の打ち上げを目指す。

エクスペース
国営航空航天科工業集団が立ち上げたベンチャー。固体燃料ロケット「快船」の開発に成功。

ランドスペース
清華大学発の宇宙ベンチャー。液体燃料の中型ロケット「朱雀2号」の開発を進める。

【日本】
インターステラテクノロジズ
ベンチャー起業家堀江貴文氏が設立した、小型ロケット開発ベンチャー。低軌道ロケット「MOMO」の開発・発射に成功した。

宇宙探査・宇宙生活・観光関連企業

宇宙探査
Planetary Resources、Deep Space Industries、ispace、ダイモン

宇宙食関連
UTC Aerospace systems、Honeywell Aerospace、Argotec、Goldwin、Euglena

宇宙旅行
ヴァージン・ギャラクティック、ブルーオリジン、PD エアロスペース、HIS、ANA ホールディングス

宇宙ホテル
アクシオム・スペース、ビゲロー・エアロスペース、オービタル・アセンブリ

日本の様々な宇宙関連企業
トヨタ自動車、大林組、SUBARU、パーソル R&D、ミクニ、イーグル工業、住友精密工業、中菱エンジニアリング、タマディック、IHI ジェットサービス、多摩川精機、宇宙技術開発、竹田設計工業、シーアールイー、第一システムエンジニアリング、菱栄テクニカ、旭金属工業、エイ・イー・エス、三技協イオス、ミツ精機、有人宇宙システム、寺内製作所、高千穂電気、菱計装、玉川工業、アミル、HIREC

★地図情報関連企業
UrtheCast、ゼンリン、arbonaut、AABSyS、日立ソリューションズ、宇部興産コンサルタント、アドイン研究所、パスコ

★天気予報関連企業
GeoOptics、Spire、PlanetOS、Tempus Global Data、IBM、ウェザーマップ、ウェザーニュース

本書を読む前に知っておきたい
宇宙関連の基礎用語

あ

宇宙
あらゆる天体を含む広大な空間。地球の上空、約100km以上の空間を宇宙空間ということもある。

宇宙ステーション
地球の軌道上などの宇宙空間にあり、人間が生活できるように設計された施設。様々な実験や研究、観測などに使われる。

宇宙船
宇宙空間を飛行する人工的な飛行物体。人間を乗せるための機能を備えたものを特に指すことが多い。

宇宙放射線
「宇宙線」ともいう。宇宙空間を飛びかう高エネルギーの放射線。

衛星
惑星の周りを回る天体。地球の衛星は月しかないが、多くの衛星をもつ惑星もある。

重さ
物質に働く重力の大きさ。重力の違う場所では変化する。

か

軌道
天体が運行する経路。

銀河
無数の恒星や星間物質の集まり。

銀河系
太陽系が属している銀河のこと。「天の川銀河」ともいう。

恒星
核融合によって自ら輝く天体。太陽は恒星のひとつ。

公転
ある天体が、ほかの天体の周りを回ること。地球は太陽の周りを公転している。

公転周期
ある天体が、ほかの天体の周りを1周するのにかかる時間。地球の公転周期は、約365日6時間。

光年
光が1年に進む距離。約9兆5,000億km。

さ

質量
物質そのものの量。重力の違う場所でも変化しない。

自転
天体が軸を中心にして回転すること。

自転周期
天体が軸を中心に1回転するのにかかる時間。地球の自転周期は、約23時間56分。

磁場
磁気力の働く空間。

周回軌道
恒星や惑星などの天体を中心にして、その周りを回る別の天体や人工衛星の経路。

重力
質量をもつ2つの物体が、互いに引き合う力。引力。

準惑星
恒星の周りを回っている天体のうち、その軌道の近くにほかの天体があるもの。冥王星、エリスなどがある。

人工衛星
地球からロケットで打ち上げられ、地球などの周りを回る人工物。1957年にソ連が打ち上げた「スプートニク1号」が世界初。

大気
惑星、衛星、恒星などの表面を取り巻く気体の層。

太陽系
太陽を中心にした天体の集まり。地球を含む8つの惑星をもつ。

ダークエネルギー（暗黒エネルギー）
宇宙の膨張を加速している未知のエネルギー。

ダークマター（暗黒物質）
宇宙に存在し、質量はもつが、目に見えず、観測できない物質。

探査機
地球以外の天体や宇宙空間を調査する機械。人間が乗るものを「有人探査機」、機械だけのものを「無人探査機」と区別することもある。

探査車（ローバー）
地球以外の天体の表面を移動し、調査する車。多くは無人で、自動または遠隔操作で動く。アメリカの「アポロ計画」で使用された月面探査車は人間が操縦。

着陸機（ランダー）
天体の表面に着陸できる機械。「着陸船」ともいう。

天体
宇宙にある物体。太陽、月、地球などのほか、星雲や星団なども含む。

天文単位（au）
太陽と地球との平均距離、約1億4,960万kmを1auとして、太陽系内の距離を表す単位。

発射場
ロケットなどを打ち上げる施設。「射場」ともいう。アメリカのケネディ宇宙センター、日本の種子島宇宙センターなど。

ビッグバン
宇宙の始まりとなった大爆発。約138億年前に起こったと考えられている。

ブラックホール
重力が大きすぎて、物質も光も抜け出せない天体のこと。

モジュール
宇宙ステーションなどの構成要素。それ自体で単独でも機能し、交換もできる。

有人宇宙飛行
人間が宇宙船に乗って宇宙を飛行すること。1961年にソ連の宇宙船「ヴォストーク1号」でユーリ・ガガーリンが地球を1周したのが人類初。

惑星
恒星の周りを回っている天体。地球は太陽の周りを回る惑星のひとつ。

Part 2

地球を脱出して宇宙を目指す ①

大気がほとんどなくなる上空100kmからが宇宙

🚀 空の向こうに広がる広大な宇宙

ライト兄弟が飛行機で地上数10m上昇したのは、約120年前のこと。その58年後に、人類はロケットでガガーリンという名の青年を宇宙空間まで飛ばしました。

宇宙飛行にたどり着くまでに、人類は、大気の圧力と地球の重力から自由になる方法を探り続けました。その結果、上空約100kmあたりから、地球を包む大気が消え、物体を地球に引きつける引力も減少することがわかってきました。そこで国際航空連盟は、この100kmから宇宙が始まるとして、「カーマン・ライン」と呼ばれる仮想の線を設定しています。ただし、アメリカの連邦航空局は80km以上を宇宙だと主張しています。

いずれにしても、私たちは80〜100km上昇すれば、地球の大気という命の保護膜を破り、宇宙放射線が直撃する苛烈な宇宙空間に身をさらすことになります。

空気が澄んだ秋の夜空を見上げると、国際宇宙ステーション（ISS）の小さなオレンジ色の光が、横切って行くのを目にするでしょう。ISSが飛行するのは、地上400km前後。通信衛星や気象衛星は、さらに高く、地上3万6,000kmの軌道上を周回しています。

放送衛星 BSAT

3万6,000km

地球高軌道（HEO）
高度3万6,000kmより高い軌道。人工衛星がちょうど3万6,000kmを航行すれば、その周回周期は地球の自転周期と同じになる。その軌道を「対地同期軌道」という

地球中軌道（MEO）
地上から2,000km以上で、高軌道までの領域を中軌道といい、ここを周回する衛星を中軌道衛星と呼ぶ

外気圏

2,000km 地球低軌道（LEO）
地上2,000km以下の周回軌道。国際宇宙ステーションなどが利用している軌道

気候変動観測衛星 しきさい

地球観測衛星 リモートセンシング

高度約800kmの軌道を周回する、気候変動観測衛星。複雑な地球の気候システムを観察し、地球の気温上昇の予測精度の向上を目指している。高精度の多波長光学放射計を搭載して、空中のエアロゾルの日照量への影響、植物の二酸化炭素吸収能力など、様々な観測を行う

600km

熱圏

500km

400km

300km

200km 地球超低軌道

オーロラ

100km カーマン・ライン これ以上が宇宙空間

80km

流星

中間層

50km

成層圏

気象観測気球

10km ヒマラヤ 8,611m

対流圏

0km

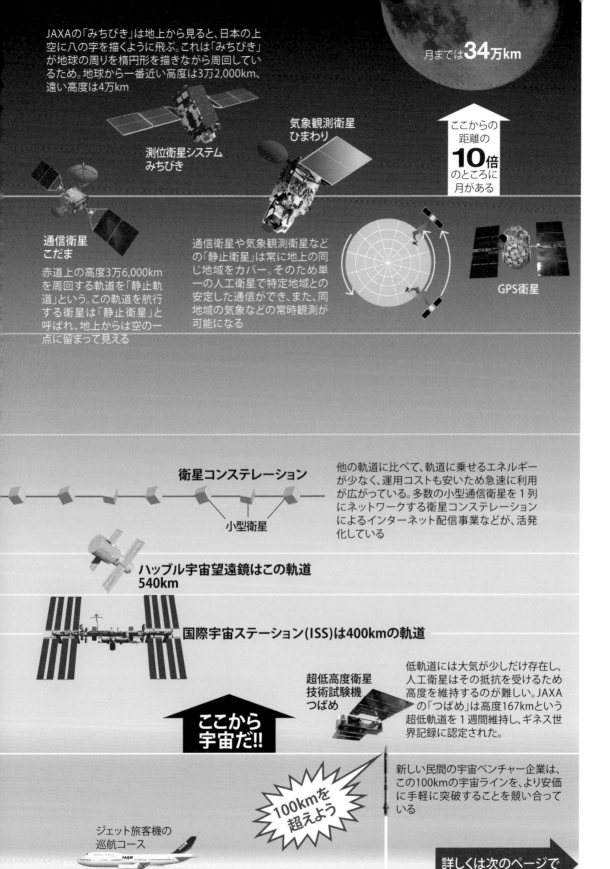

JAXAの「みちびき」は地上から見ると、日本の上空に八の字を描くように飛ぶ。これは「みちびき」が地球の周りを楕円形を描きながら周回しているため。地球から一番近い高度は3万2,000km、遠い高度は4万km

月までは**34万km**

測位衛星システム
みちびき

気象観測衛星
ひまわり

ここからの距離の**10倍**のところに月がある

通信衛星
こだま

赤道上の高度3万6,000kmを周回する軌道を「静止軌道」という。この軌道を航行する衛星は「静止衛星」と呼ばれ、地上からは空の一点に留まって見える

通信衛星や気象観測衛星などの「静止衛星」は常に地上の同じ地域をカバー。そのため単一の人工衛星で特定地域との安定した通信ができ、また、同地域の気象などの常時観測が可能になる

GPS衛星

衛星コンステレーション

小型衛星

他の軌道に比べて、軌道に乗せるエネルギーが少なく、運用コストも安いため急速に利用が広がっている。多数の小型通信衛星を1列にネットワークする衛星コンステレーションによるインターネット配信事業などが、活発化している

**ハッブル宇宙望遠鏡はこの軌道
540km**

国際宇宙ステーション(ISS)は400kmの軌道

超低高度衛星
技術試験機
つばめ

低軌道には大気が少しだけ存在し、人工衛星はその抵抗を受けるため高度を維持するのが難しい。JAXAの「つばめ」は高度167kmという超低軌道を1週間維持し、ギネス世界記録に認定された。

**ここから
宇宙だ!!**

100kmを
超えよう

新しい民間の宇宙ベンチャー企業は、この100kmの宇宙ラインを、より安価に手軽に突破することを競い合っている

ジェット旅客機の
巡航コース

詳しくは次のページで

宇宙体験の第一歩は
まず100km上空まで行くこと

🚀 宇宙空間を数分間体験

2021年7月、宇宙旅行がSFの物語から現実のものとなる第一歩を記(しる)すような出来事(でき)が起きました。

7月12日、イギリスのヴァージン・ギャラクティック社が独自開発した宇宙船「ス

ペースシップ2」が、同社の創業者リチャード・ブランソン氏他5名を乗せて上空85kmの宇宙空間を飛翔(ひしょう)し、無事帰還しました。

それより遅れること8日、7月20日にはアメリカのブルーオリジン社が開発した「ニューシェパード」が、これも創業者のジェフ・ベゾス氏を100kmの宇宙空間に運

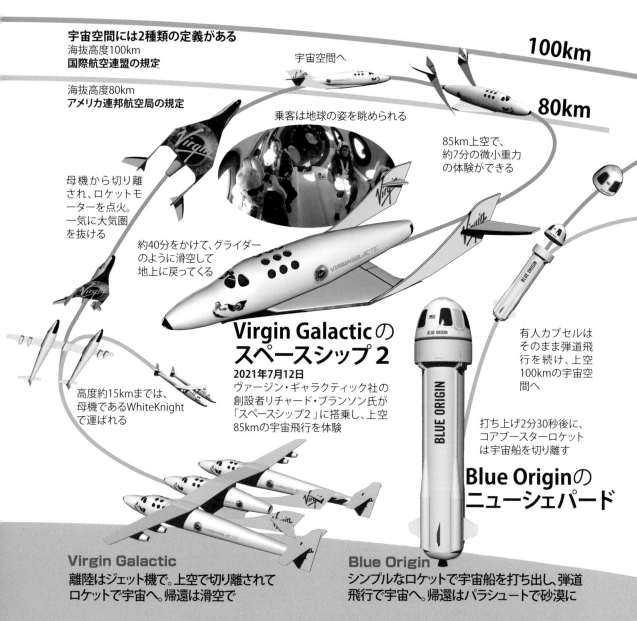

宇宙空間には2種類の定義がある
海抜高度100km
国際航空連盟の規定

100km

宇宙空間へ

海抜高度80km
アメリカ連邦航空局の規定

80km

乗客は地球の姿を眺められる

85km上空で、約7分の微小重力の体験ができる

母機から切り離され、ロケットモーターを点火。一気に大気圏を抜ける

約40分をかけて、グライダーのように滑空して地上に戻ってくる

Virgin Galacticの
スペースシップ2

2021年7月12日
ヴァージン・ギャラクティック社の創設者リチャード・ブランソン氏が「スペースシップ2」に搭乗し、上空85kmの宇宙飛行を体験

高度約15kmまでは、母機であるWhiteKnightで運ばれる

有人カプセルはそのまま弾道飛行を続け、上空100kmの宇宙空間へ

打ち上げ2分30秒後に、コアブースターロケットは宇宙船を切り離す

Blue Originの
ニューシェパード

Virgin Galactic
離陸はジェット機で。上空で切り離されてロケットで宇宙へ。帰還は滑空で

Blue Origin
シンプルなロケットで宇宙船を打ち出し、弾道飛行で宇宙へ。帰還はパラシュートで砂漠に

びました。

　両氏は、ともに世界初となる民間による宇宙旅行を実現しようと、長くライバルとして競い合う関係でもありました。ベゾス氏が、先行（せんこう）したブランソン氏に対して、上空85kmは正式な宇宙空間ではない、100kmを超えた自分こそが正式認定される民間宇宙飛行士だと、競争心を露（あらわ）にする理由も、ここにあります。

　しかし、両氏が目指す宇宙旅行は「サブ・オービタル・フライト」と呼ばれ、本格的な宇宙空間への飛行ではありません。下図に示したように、宇宙空間に数分間とどまり、そのまま地球の引力によって落下するものです。それでも両氏の努力は、普通の人たちがちょっと宇宙の入り口をのぞいてくる、そんな宇宙旅行の扉（とびら）を開きました。

　地球の引力に抗（こう）して、地球の軌道（きどう）をずっと回る宇宙旅行には、より強力なロケットによって、秒速7.9kmの猛（もう）スピードで空に駆（か）け上がる必要があります。次の項では、そのロケットについて見てみましょう。

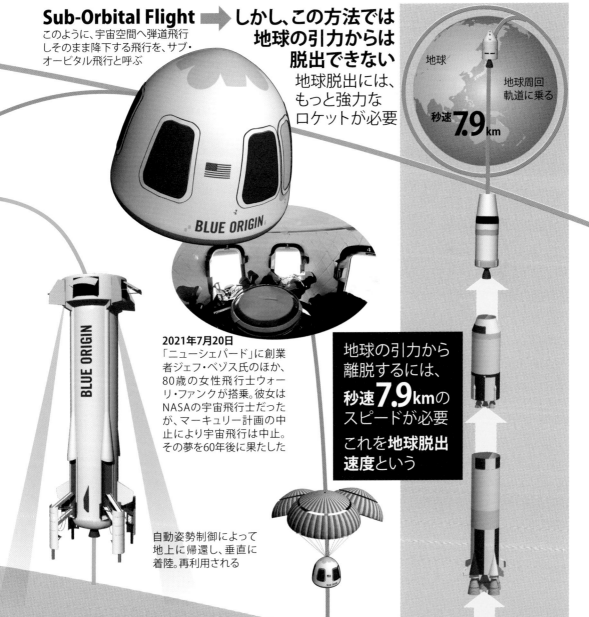

Sub-Orbital Flight

このように、宇宙空間へ弾道飛行しそのまま降下する飛行を、サブ・オービタル飛行と呼ぶ

しかし、この方法では地球の引力からは脱出できない
地球脱出には、もっと強力なロケットが必要

地球

地球周回軌道に乗る

秒速 **7.9** km

BLUE ORIGIN

2021年7月20日
「ニューシェパード」に創業者ジェフ・ベゾス氏のほか、80歳の女性飛行士ウォーリ・ファンクが搭乗。彼女はNASAの宇宙飛行士だったが、マーキュリー計画の中止により宇宙飛行は中止。その夢を60年後に果たした

地球の引力から離脱するには、**秒速7.9km**のスピードが必要
これを**地球脱出速度**という

自動姿勢制御によって地上に帰還し、垂直に着陸。再利用される

Part 2
地球を脱出して
宇宙を目指す
③

重いロケットが空を飛び 地球の重力から脱出するしくみ

🚀 ロケットの推進力と重量

ゴム風船を膨らませて手を放すと、風船は勢いよく飛んでいきます。吹き出した空気の反動で、反対方向に推進力が生まれるからです。ロケットが飛ぶのも、これと同じしくみです。ロケットは、風船と違って重いので、燃料を燃やして爆発させることで、強い推進力を得ています。

地球の重力圏を脱出して上昇するほどの強い推進力を得るには、それに比例した量の燃料が必要です。すると今度は、燃料の重さの分、ロケットの速度が遅くなってしまいます。そのためロケット開発においては、推進力と重量が最適なバランスを保つ規模と形態が、常に追求されてきました。

p24〜p25に図示したように、地球を周回する軌道は複数あり、どの軌道を目指すかによって、ロケットの種類も異なります。上空500kmの低軌道に数kgの小型衛星を打ち上げるには、固体燃料を積んだ全長20m程度の小型ロケットが活躍します。一方、日本のJAXAが開発した次期主力ロケットH3は、3万6,000kmの静止軌道に6トン以上の搭載物を打ち上げる能力をもちますが、全長63mにもなる巨大なものです。

ロケットは、発射地も選びます。地球の自転速度を利用して発射速度を速めるには、可能な限り赤道に近く、真東に向けて発射できる場所が望まれます。発射されたロケットから人工衛星が放出され、衛星の遠心力と地球の引力が釣り合うポイントに到達すれば、そこが地球を周回する軌道です。

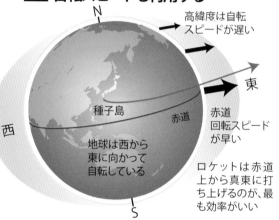

地球周回軌道
超低軌道で200km上空
まだ地球の重力圏

1 軌道とは引力と遠心力の釣り合うポイント

打ち上げられたロケットは高度が上がると速度も速まりやがて秒速7.9kmに近づく

西

2 ロケットは地球の自転スピードも利用する

N

高緯度は自転スピードが遅い

東

赤道回転スピードが早い

種子島　赤道

西

地球は西から東に向かって自転している

S

ロケットは赤道上から真東に打ち上げるのが、最も効率がいい

赤道上で真東に打ち上げれば、ロケットのスピードに地球の自転速度が加わり有利。日本の種子島に発射場があるのは、日本国内で少しでも赤道に近づけるためだ

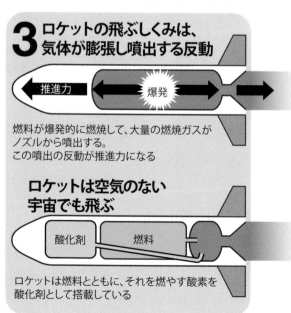

3 ロケットの飛ぶしくみは、気体が膨張し噴出する反動

推進力　　爆発

燃料が爆発的に燃焼して、大量の燃焼ガスがノズルから噴出する。
この噴出の反動が推進力になる

ロケットは空気のない宇宙でも飛ぶ

酸化剤　　燃料

ロケットは燃料とともに、それを燃やす酸素を酸化剤として搭載している

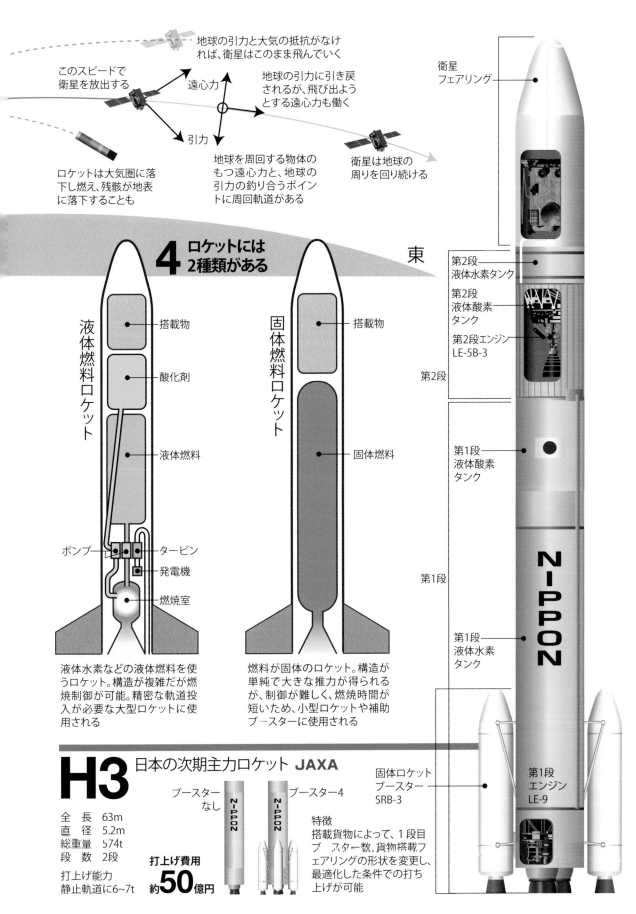

地球の引力と大気の抵抗がなければ、衛星はこのまま飛んでいく

このスピードで衛星を放出する

遠心力

引力

地球の引力に引き戻されるが、飛び出そうとする遠心力も働く

ロケットは大気圏に落下し燃え、残骸が地表に落下することも

地球を周回する物体のもつ遠心力と、地球の引力の釣り合うポイントに周回軌道がある

衛星は地球の周りを回り続ける

4 ロケットには2種類がある

東

衛星フェアリング

第2段液体水素タンク

第2段液体酸素タンク

第2段エンジンLE-5B-3

第2段

第1段液体酸素タンク

第1段

NIPPON

第1段液体水素タンク

固体ロケットブースターSRB-3

第1段エンジンLE-9

液体燃料ロケット

- 搭載物
- 酸化剤
- 液体燃料
- ポンプ
- タービン
- 発電機
- 燃焼室

液体水素などの液体燃料を使うロケット。構造が複雑だが燃焼制御が可能。精密な軌道投入が必要な大型ロケットに使用される

固体燃料ロケット

- 搭載物
- 固体燃料

燃料が固体のロケット。構造が単純で大きな推力が得られるが、制御が難しく、燃焼時間が短いため、小型ロケットや補助ブースターに使用される

H3 日本の次期主力ロケット JAXA

全 長	63m
直 径	5.2m
総重量	574t
段 数	2段

打上げ能力
静止軌道に6〜7t

ブースターなし

ブースター4

打上げ費用 約50億円

特徴
搭載貨物によって、1段目ブースター数、貨物搭載フェアリングの形状を変更し、最適化した条件での打ち上げが可能

次世代民間ロケットは、再使用で宇宙への輸送コストを削減

🚀 ロケットも使い捨てから再使用へ

アメリカの宇宙ロケットの世界で、いま大きな変革が起きています。それは、これまで1回の打ち上げごとに捨てられていた機体を再び利用し、打ち上げコストを従来に比べて3分の1程度に削減する再使用ロケットの登場です。

そのきっかけは、主として政府が主導してきた宇宙開発の世界に、NASAが戦略的に民間企業の参入を促したことです。これまではNASAが巨額の政府予算を獲得し、これを協力関係にある既存の宇宙関連企業に振り分けて、宇宙事業を運営していました。しかし財政難に苦しむアメリカ政府は、2005年以降、積極的に民間の宇宙企業を育成し、その企業の資金と経営努力を活用する方針に転換したのです。

その結果、誕生したのがスペースX社に代表される民間の宇宙企業でした。スペースX社は、ファルコン9という、1段目ロケットの再利用型ロケットをNASAの支援で開発し、国際宇宙ステーション（ISS）への物資運搬費を約3分の1にまで削減しました。ちなみにスペースシャトル時代には、1kgの荷物をISSに運ぶコストは、日本円にして3000万円以上。それがスペースX社では1000万円にまで圧縮されたのです。

右の図に示したように、主要国の代表的な使い捨てロケットは、1回の打ち上げに100億円前後の費用を必要とし、各国の財政を圧迫しています。宇宙ロケットも、リサイクルの時代を迎えているのです。

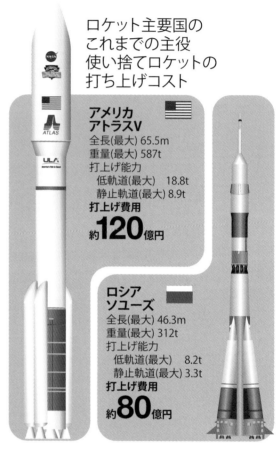

ロケット主要国の
これまでの主役
使い捨てロケットの
打ち上げコスト

**アメリカ
アトラスV**
全長(最大) 65.5m
重量(最大) 587t
打上げ能力
　低軌道(最大) 18.8t
　静止軌道(最大) 8.9t
打上げ費用
約**120**億円

**ロシア
ソユーズ**
全長(最大) 46.3m
重量(最大) 312t
打上げ能力
　低軌道(最大) 8.2t
　静止軌道(最大) 3.3t
打上げ費用
約**80**億円

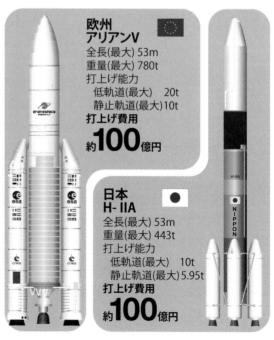

**欧州
アリアンV**
全長(最大) 53m
重量(最大) 780t
打上げ能力
　低軌道(最大) 20t
　静止軌道(最大) 10t
打上げ費用
約**100**億円

**日本
H-IIA**
全長(最大) 53m
重量(最大) 443t
打上げ能力
　低軌道(最大) 10t
　静止軌道(最大) 5.95t
打上げ費用
約**100**億円

現在実用化されている再利用可能ロケット

Blue Origin
ニューシェパード NS-3
ブルーオリジン社製
全長　18m
直径　3.7m
宇宙観光用に開発されたロケットシステム。弾道飛行で宇宙船を100kmの宇宙空間に運ぶ。ロケットは自動制御で地表に帰還し、宇宙船はパラシュートで地表に降下

Blue Origin

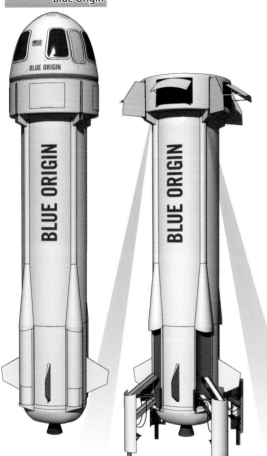

SPACE-X
ファルコン9 FT　スペースX社製
全長　71m
直径　3.66m
段数　2段ロケット
大型の荷物、有人宇宙船の打ち上げのためにつくられた。ファルコン9シリーズは2010年から実用化。1段目ロケットは打上げ後自動制御によって地上に回収され、再利用される

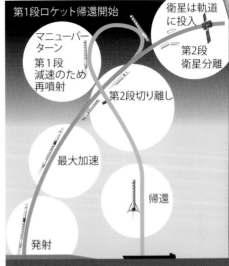

第1段ロケット帰還開始
マニューバーターン
第1段減速のため再噴射
衛星は軌道に投入
第2段衛星分離
第2段切り離し
最大加速
帰還
発射

ファルコン9
打ち上げ費用
30億円

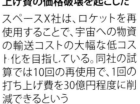

SPACE-X

ファルコン9は再使用で、打ち上げ費の価格破壊を起こした

スペースX社は、ロケットを再使用することで、宇宙への物資の輸送コストの大幅な低コスト化を目指している。同社の試算では10回の再使用で、1回の打ち上げ費を30億円程度に削減できるという

日本のJAXAも再使用ロケットの開発を続けていた

JAXAは再使用可能ロケットのコンセプトで、極めて早い段階から研究を進めていた。2003年には飛行実験に成功。100回使用可能なエンジンも開発していた

再使用ロケット実験機
RVT-9は、50m上昇後、自動制御で着陸に成功していた

提供 JAXA

地球を周回する最大の宇宙基地 ISSに民間の宇宙船が到着

🚀 15カ国が運用する宇宙基地

　世界の宇宙開発・研究の拠点は、1998年に建設が始まり、2011年に完成した国際宇宙ステーション（ISS）です。アメリカ、ロシア、日本、カナダ、ヨーロッパ11カ国などが共同で運用し、宇宙飛行士が常時滞在し、微小重力という宇宙環境を利用した様々な研究・実験を行っています。

　しかし、このISSを維持するために、NASAは年間約3,500億円もの費用を費やしています。なかでも負担が大きいのが、人員と物資の輸送です。日本の場合、例えば2015年度のISS年間総予算399億円のうちの280億円がISSへの物資の輸送費で、その大部分がロケットの打ち上げ費用です。

　ISSへの物資輸送費の削減は、ISSの今後の運営にとって必須でした。この課題を解決したのは、またしてもアメリカの民間企業スペースX社でした。NASAは同社と契約し、その輸送サービスを利用し、大幅なコスト削減を実現しました。打ち上げにはファルコン9、ISSまで宇宙飛行士を輸送するのは独自開発の宇宙船クルードラゴンを使用。どちらも10回程度の再使用を想定して開発されました。

　2020年11月16日、日本の野口聡一宇宙飛行士を含む4人をISSに送り届け、2021年の4月23日には、同じく日本の星出彰彦宇宙飛行士他3名を送り届けるとともに、野口さん他の帰還にも成功。ISSへの輸送事業を手掛けようと、現在も多数の企業がチャレンジを繰り返しています。

1998年から組み立て開始 23年間稼働している 国際宇宙ステーションISS
International Space Station

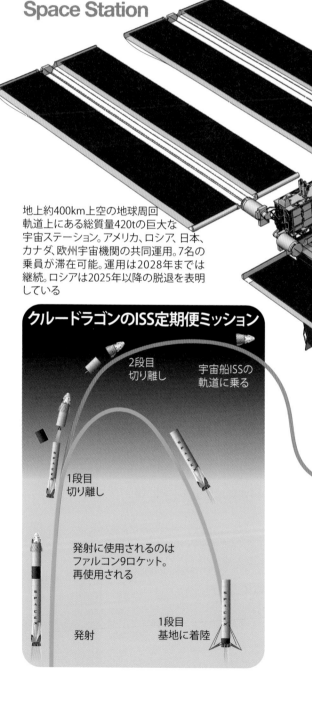

地上約400km上空の地球周回軌道上にある総質量420tの巨大な宇宙ステーション。アメリカ、ロシア、日本、カナダ、欧州宇宙機関の共同運用。7名の乗員が滞在可能。運用は2028年までは継続。ロシアは2025年以降の脱退を表明している

クルードラゴンのISS定期便ミッション

2段目切り離し

宇宙船ISSの軌道に乗る

1段目切り離し

発射に使用されるのはファルコン9ロケット。再使用される

発射

1段目基地に着陸

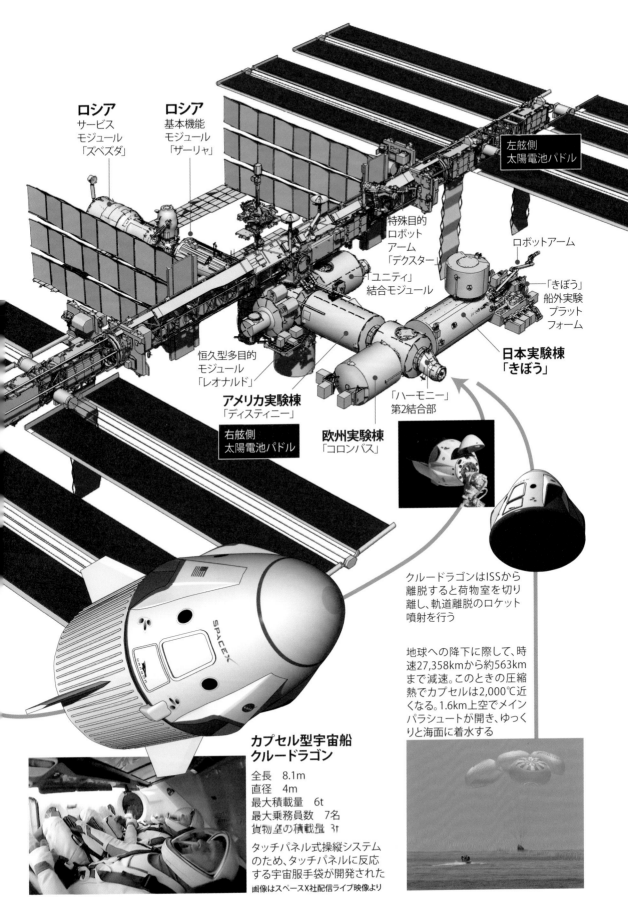

ロシア
サービス
モジュール
「ズベズダ」

ロシア
基本機能
モジュール
「ザーリャ」

左舷側
太陽電池パドル

特殊目的
ロボット
アーム
「デクスター」

ロボットアーム

「ユニティ」
結合モジュール

「きぼう」
船外実験
プラット
フォーム

恒久型多目的
モジュール
「レオナルド」

アメリカ実験棟
「ディスティニー」

「ハーモニー」
第2結合部

日本実験棟
「きぼう」

右舷側
太陽電池パドル

欧州実験棟
「コロンバス」

クルードラゴンはISSから
離脱すると荷物室を切り
離し、軌道離脱のロケット
噴射を行う

地球への降下に際して、時
速27,358kmから約563km
まで減速。このときの圧縮
熱でカプセルは2,000℃近
くなる。1.6km上空でメイン
パラシュートが開き、ゆっく
りと海面に着水する

カプセル型宇宙船
クルードラゴン

全長　　8.1m
直径　　4m
最大積載量　　6t
最大乗務員数　　7名
貨物室の積載量　3t

タッチパネル式操縦システム
のため、タッチパネルに反応
する宇宙服手袋が開発された
画像はスペースX社配信ライブ映像より

老朽化が進むISSの後継は民間ステーションになる?

民間企業の参入で代替施設を

20年以上使用され、老朽化が進む国際宇宙ステーション (ISS)は、2030年代には寿命を迎え、廃棄されると見られています。共同運用する15カ国は、運用期間を2024年までとすることに合意しています

が、その後はどうなるのでしょう?

アメリカのトランプ政権でNASAの長官を務めたジム・ブライデンスタイン氏は、かねてから民間企業の活用を提唱してきました。ISSの寿命が尽きる前に、民間企業に替わりのステーションを建設させ、それを支援しようというのです。その背景には、

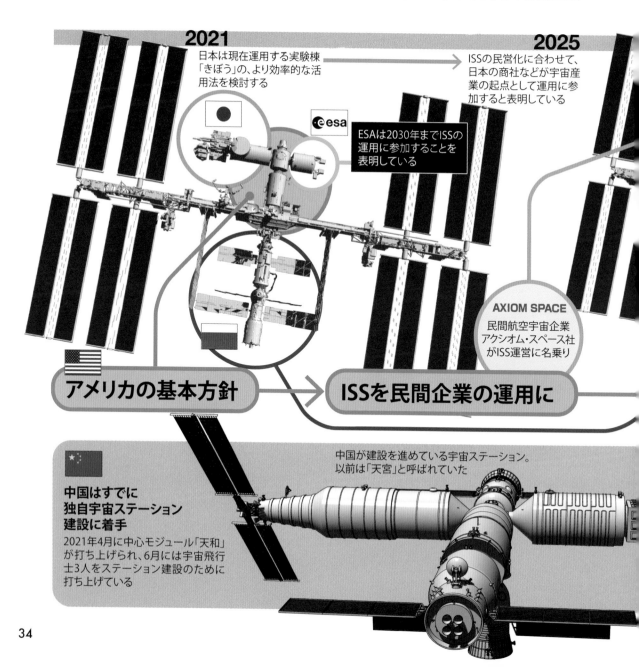

2021

日本は現在運用する実験棟「きぼう」の、より効率的な活用法を検討する

ESAは2030年までISSの運用に参加することを表明している

2025

ISSの民営化に合わせて、日本の商社などが宇宙産業の起点として運用に参加すると表明している

AXIOM SPACE
民間航空宇宙企業アクシオム・スペース社がISS運営に名乗り

アメリカの基本方針 → **ISSを民間企業の運用に**

中国はすでに独自宇宙ステーション建設に着手
2021年4月に中心モジュール「天和」が打ち上げられ、6月には宇宙飛行士3人をステーション建設のために打ち上げている

中国が建設を進めている宇宙ステーション。以前は「天宮」と呼ばれていた

NASAの将来計画の中心は、人類を月と火星に送りこむ「アルテミス計画」にあり、ISSに費やしている莫大（ばくだい）な予算をこの計画に振り向けたいという考えもありました。

アメリカが、2030年までにISSを廃棄することを前提に、民間企業の活用に乗り出すと、各国もこれに反応しました。

まずロシアが、2025年もしくは28年までにISSから離脱（りだつ）し、独自の宇宙ステーションを建設することを表明。ヨーロッパ諸国は2030年までのISS参加を表明。日本は自国モジュールの運用に関して、民営化の可能性も示唆（しさ）しています。

こんな諸国の混乱を尻目（しりめ）に、着々と地球低軌道（ていきどう）上に宇宙ステーション建設を進めているのが中国です。中国は2024年の完成を目指（めざ）し、完成後は、その研究施設を広く国際社会に解放することを表明しています。

もしISSの継承（けいしょう）がうまくいかず、老朽化した施設が太平洋に落下するような事態（じたい）になれば、中国が世界唯一（ゆいいつ）の宇宙ステーション所有国となるかもしれません。

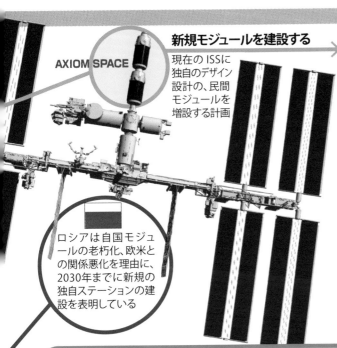

新規モジュールを建設する

現在のISSに独自のデザイン設計の、民間モジュールを増設する計画

ロシアは自国モジュールの老朽化、欧米との関係悪化を理由に、2030年までに新規の独自ステーションの建設を表明している

2030

民間ステーション
「アクステーション(AxStation)」
アクシオム・スペース社は既存のISSを基礎に、順次自社のモジュールを組み立て、現在のISSが担っている機能を代替えし、2030年を境にISSから切り離し、独自運用することを計画している。現在のISSはその時点で廃棄される予定

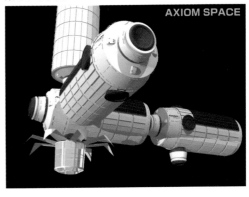

ISSの維持予算をアルテミス計画に使う

日本政府・企業も、このアルテミス計画への積極的な参画を表明している

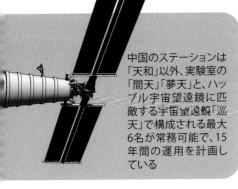

中国のステーションは「天和」以外、実験室の「問天」「夢天」と、ハッブル宇宙望遠鏡に匹敵する宇宙望遠鏡「巡天」で構成される最大6名が常務可能で、15年間の運用を計画している

月軌道ステーションの建設

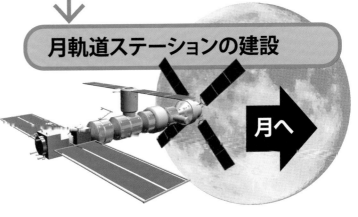

月へ

ISSでの研究が明らかにした
微小重力が人体に及ぼす影響

人工重力の
巨大な回転ホテルが
計画されている

🚀 重力のない世界への挑戦

地上400㎞を飛行する国際ステーション（ISS）では、重力が地上の100万分の1しかありません。ほぼ重力がない状態を「無重力」といいますが、近年ではより正確に「微小重力」という言葉が使われています。

回転　遠心力　疑似重力

アメリカ
オービタル・アセンブリ社（OAC）が巨大宇宙ホテル建設をアメリカ政府に提案している

NASAのパイロット、エンジニア、建築家のチームであるゲートウェイ・ファンデーションが設立したOAC社は、科学実験のサポートと観光客向けの滞在場所として、直径200mの車輪型の巨大な円形の宇宙ホテルを提案している

宇宙飛行士たちが、ISSで長年続けた研究のひとつが、微小重力の人体への影響です。私たちの体は、地球の重力に適応するようにつくられています。その重力が失われると、体を支える骨と筋肉が減少し、心臓機能が低下して、深刻な問題を生み出すことがわかってきました。

そのため、ISSに滞在する宇宙飛行士は、約6カ月ごとに交代します。それ以上長くなると、有害な宇宙線の被曝量が増え、身体機能の低下も深刻化するからです。

1950年代から、宇宙空間での微小重力の影響を懸念し、人工重力を生み出す宇宙ステーションの必要性を唱えたのが、NASAの宇宙事業を主導したフォン・ブラウン博士でした。博士は、アポロ計画に深く関与し、宇宙飛行士を月に送ったサターンロケットも生み出した人物でもあります。博士の計画は、車輪型のステーションを回転させて人工重力を生み出し、快適な生活環境を得ようというものでした。現在このアイデアの実現に向けた試みが始まっています。

ISSでの研究によって、微小重力の人体への影響の大きさが検証されている

1 人体の骨量が減少する

宇宙メダカ

宇宙メダカで実証

微小重力環境

ミトコンドリアに形態異常が発生 → 破骨細胞が活性化する → 骨量が減少した

メダカの遺伝子を組み換えて、骨芽細胞と破骨細胞を蛍光淡白で可視化。このメダカをISSで2カ月飼育した結果、この事実がわかった

この項の内容は『スペース・コロニー　宇宙で暮らす方法』(向井千秋監修・著、講談社刊)を参考にしました

回転する宇宙ステーションは1950年代にフォン・ブラウン博士によって提案されていた

ヴェルナー・フォン・ブラウン (1912-1977)

ドイツ生まれ。第二次世界大戦中に世界初の弾道ミサイルV-2を開発。1945年にアメリカに亡命。アメリカの宇宙開発・ロケット開発を主導した。その間もブラウンは宇宙旅行の夢を語り、人工重力を発生させる、回転する巨大なステーションの必要の啓蒙に務めた

人工重力ステーションならこんな快適な暮らしができる

2 心臓機能が低下して心疾患を誘発する

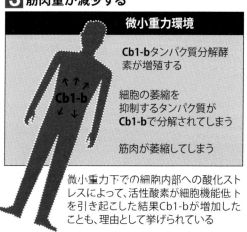

重力があると	重力がないと
重力で血液が下半身に下がってしまう	血液が平均して全身をめぐるので、心臓が頑張らない
それを心臓が汲み上げて全身に回している	心臓の機能が低下する
	心臓組織の減少、生理機能の低下
	心血管疾患の発症

3 筋肉量が減少する

微小重力環境

Cb1-b

Cb1-bタンパク質分解酵素が増殖する

細胞の萎縮を抑制するタンパク質がCb1-bで分解されてしまう

筋肉が萎縮してしまう

微小重力下での細胞内部への酸化ストレスによって、活性酸素が細胞機能低下を引き起こした結果Cb1-bが増加したことも、理由として挙げられている

Part 3

もう一度月へ行こう ①

いまから半世紀も前に12人が月に降り立った

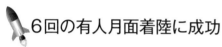

6回の有人月面着陸に成功

　人類が初めて月面に着陸したのは、いまから50年以上前、1969年の7月20日（米時間）のこと。アポロ11号の月着陸船イーグルから2人の宇宙飛行士が月面に降り立つシーンは、全世界にテレビ放送されました。この記念すべき日から1972年12月まで、アメリカはアポロ13号の事故を挟み、アポロ17号まで6回のミッションで、計12名の宇宙飛行士を月に送りこみました。

　このアポロ計画は、1961年にガガーリン宇宙飛行士による史上初の宇宙飛行を成功させたソ連に対抗し、アメリカが威信回復という政治目的で決行したものでもありました。しかし、莫大な予算がかかるため、アポロ計画は17号を最後に中止されます。

　1970年代、宇宙開発競争の舞台は、地球軌道を回る宇宙ステーションへと移り、ソ連がサリュートを打ち上げれば、アメリカはスカイラブで対抗。1980年代には、スペースシャトルの時代が訪れます。

　ソ連崩壊後の1998年には、ロシアも参加する国際宇宙ステーション（ISS）が稼働。そして2019年、人類を再び月に送る「アルテミス計画」が立案されました。その計画が、いよいよ実行されようとしています。

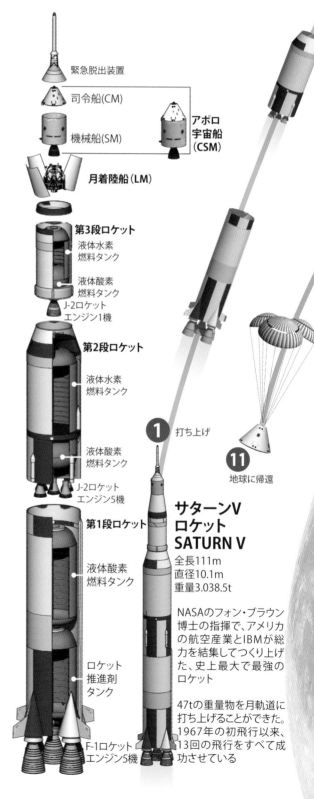

緊急脱出装置

司令船（CM）

機械船（SM）

アポロ宇宙船（CSM）

月着陸船（LM）

第3段ロケット
液体水素燃料タンク
液体酸素燃料タンク
J-2ロケットエンジン1機

第2段ロケット
液体水素燃料タンク
液体酸素燃料タンク
J-2ロケットエンジン5機

第1段ロケット
液体酸素燃料タンク
ロケット推進剤タンク
F-1ロケットエンジン5機

① 打ち上げ

⑪ 地球に帰還

サターンV ロケット SATURN V

全長111m
直径10.1m
重量3,038.5t

NASAのフォン・ブラウン博士の指揮で、アメリカの航空産業とIBMが総力を結集してつくり上げた、史上最大で最強のロケット

47tの重量物を月軌道に打ち上げることができた。1967年の初飛行以来、13回の飛行をすべて成功させている

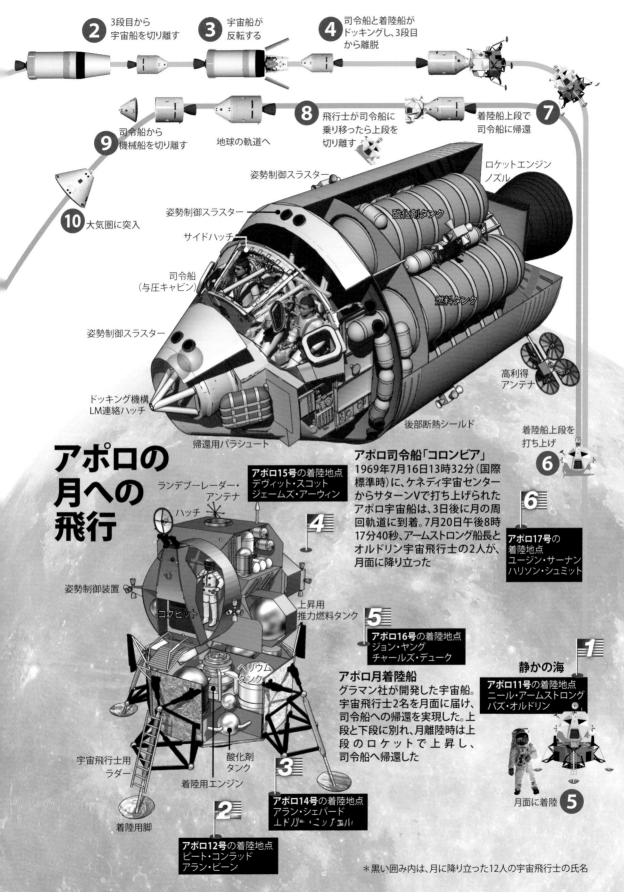

② 3段目から宇宙船を切り離す

③ 宇宙船が反転する

④ 司令船と着陸船がドッキングし、3段目から離脱

⑨ 司令船から機械船を切り離す

地球の軌道へ

⑧ 飛行士が司令船に乗り移ったら上段を切り離す

⑦ 着陸船上段で司令船に帰還

⑩ 大気圏に突入

姿勢制御スラスター

姿勢制御スラスター

サイドハッチ

司令船（与圧キャビン）

姿勢制御スラスター

ドッキング機構 LM連絡ハッチ

帰還用パラシュート

ロケットエンジンノズル

酸化剤タンク

燃料タンク

後部断熱シールド

高利得アンテナ

⑥ 着陸船上段を打ち上げ

アポロの月への飛行

ランデブーレーダー・アンテナ

ハッチ

アポロ15号の着陸地点
デヴィット・スコット
ジェームズ・アーウィン

4

姿勢制御装置

コクピット

上昇用推力燃料タンク

ヘリウムタンク

酸化剤タンク

宇宙飛行士用ラダー

着陸用エンジン

2

着陸用脚

3

アポロ12号の着陸地点
ピート・コンラッド
アラン・ビーン

アポロ14号の着陸地点
アラン・シェパード
エドガー・ミッチェル

アポロ司令船「コロンビア」
1969年7月16日13時32分（国際標準時）に、ケネディ宇宙センターからサターンVで打ち上げられたアポロ宇宙船は、3日後に月の周回軌道に到着。7月20日午後8時17分40秒、アームストロング船長とオルドリン宇宙飛行士の2人が、月面に降り立った

6

アポロ17号の着陸地点
ユージン・サーナン
ハリソン・シュミット

5

アポロ16号の着陸地点
ジョン・ヤング
チャールズ・デューク

アポロ月着陸船
グラマン社が開発した宇宙船。宇宙飛行士2名を月面に届け、司令船への帰還を実現した。上段と下段に別れ、月離陸時は上段のロケットで上昇し、司令船へ帰還した

1

静かの海

アポロ11号の着陸地点
ニール・アームストロング
バズ・オルドリン

月面に着陸 **5**

＊黒い囲み内は、月に降り立った12人の宇宙飛行士の氏名

有人月探査の第2ステージ アルテミス計画が始まった

🚀 月探査の再開を促したトランプ政権

「アルテミス計画」は、人類再度の月探査で終わるものではなく、月を周回する軌道上に建設される宇宙ステーション「ゲートウェイ」を足掛かりに、一気に火星への有人探査飛行へとつなげる壮大な計画です。

この計画を加速させたのは、2017年に誕生したトランプ政権でした。同年12月、トランプ大統領（当時）は、NASAに対して有人月探査計画を求める「宇宙政策指令第1号」に署名。2019年には、NASAが策定した2028年までの有人月着陸を、2024年に前倒しするよう求めました。

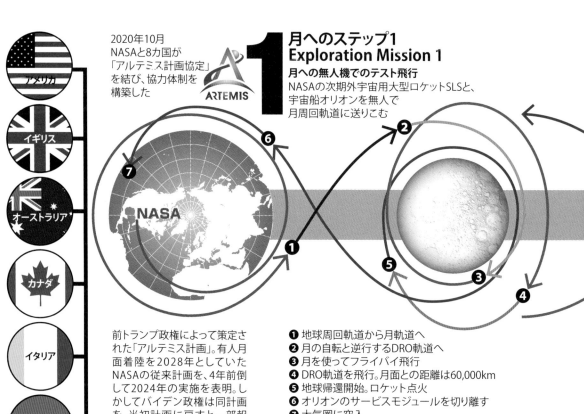

2020年10月 NASAと8カ国が「アルテミス計画協定」を結び、協力体制を構築した

ARTEMIS

1 月へのステップ1
Exploration Mission 1
月への無人機でのテスト飛行
NASAの次期外宇宙用大型ロケットSLSと、宇宙船オリオンを無人で月周回軌道に送りこむ

NASA

アメリカ
イギリス
オーストラリア
カナダ
イタリア
ルクセンブルグ
アラブ首長国連邦
日本

前トランプ政権によって策定された「アルテミス計画」。有人月面着陸を2028年としていたNASAの従来計画を、4年前倒しして2024年の実施を表明。しかしてバイデン政権は同計画を、当初計画に戻すと一部報道されている

ダイモン社は2021年度内に、小型探査ロボ「YAOKI」を月面に

❶ 地球周回軌道から月軌道へ
❷ 月の自転と逆行するDRO軌道へ
❸ 月を使ってフライバイ飛行
❹ DRO軌道を飛行。月面との距離は60,000km
❺ 地球帰還開始。ロケット点火
❻ オリオンのサービスモジュールを切り離す
❼ 大気圏に突入

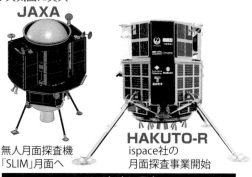

JAXA
無人月面探査機「SLIM」月面へ

HAKUTO-R
ispace社の月面探査事業開始

2022年度に予定

ここに掲載するプロジェクトの予定は、アルテミス計画が当初予定通りであることを前提としています。そのため事態の推移によっては変更されます

※現在は11カ国

🚀 国際プロジェクトに日本も貢献

　こうして始まった「アルテミス計画」には、大きく４つの目的があります。ひとつは、アメリカ単独の計画ではなく、日本も含めた８カ国が協力する国際プロジェクトであること。日本は月面の予備探査に、JAXAだけではなく、民間企業も積極的に参加する予定です。

　２つ目は、月の周回軌道に、月だけではなく、深宇宙への出発基地ともなる「ゲートウェイ」を建設すること。日本はモジュールの建設と維持、物資の運搬でも重要な役割を果たします。

　３つ目は、女性を含めた宇宙飛行士による月面探査と、月面基地の建設です。このミッションの過程では、日本人宇宙飛行士が月面で活動することも想定されています。

　そして４つ目の目的は、月面の資源探査です。ここでも日本は大型の有人与圧ローバーの投入を計画し、水資源の発見と活用にも、大きく貢献しようとしています。

2
月へのステップ2
Exploration Mission 2
Lunar Orbital Platform-Gateway
有人宇宙船での月軌道を周回
ゲートウェイ建設開始

3
月へのステップ3
Exploration Mission 3
いよいよ月に人間が再び立つ
2024年に月面の有人探査が計画されている。2021年9月現在、この計画への変更は表明されていないが、数年の遅れが予想される

まず月へ!!

❶ 月へ4日間の飛行
❷ 月近傍を通過する月フライバイを実施
❸ 地球へ帰還の
　4日間の飛行

GATEWAY

G TEWAY

「ゲートウェイ」の建設も始まる。
有人モジュールと電力エネルギー
系統のモジュールが打ち上げられる

日本は居住モジュールの建設や
物資の輸送を受け持つ

**ESA
JAXA**

2023年から建設が開始される

月面着陸船の民間宇宙船の採用が公募され、スペースX社のスターシップが選定されたが、競合数社によりアメリカ政府への異議申し立てがなされており、まだ結論は出ていない

月面基地とゲートウェイを活用して、人類は次に火星に向かう

人類は
2028年から
月面基地の
建設を
開始する?

そして 火星へ

JAXA
2029年
探査車を月面に
送りこむ

Part 3 もう一度 月へ行こう ③

日本のJAXAと若い宇宙ベンチャーが探査機を次々と月に送りこむ

🚀 民間初の月探査なるか

「アルテミス計画」には、日本からはJAXA、そしてユニークな発想の独自技術によって、新しい宇宙ビジネスの世界を切り開く若いベンチャー企業が参画しようとしています。

下に紹介したJAXAの小型月着陸実証機「SLIM」、ダイモン社の超小型ロボット探査機「YAOKI」、アイスペース社の月面資源探査機「HAKUTO-R」は、いずれも日本の科学技術が得意とする、高度で精密な機械制御技術と最新IT技術の結晶といえます。

「SLIM（Smart Lander for Investigating Moon）」は、月面の降りたい場所に降りる

2021～2022年は、日本の月探査の年

超小型ロボット探査機「YAOKI」は
2021年の秋を予定

「YAOKI」はロボット・宇宙開発ベンチャー企業の「株式会社ダイモン」が開発した、超小型探査ロボット。月面の砂地を自由に走行できる車輪型の特殊な形状をしている。過酷な月面環境下での、1度に多数の探査機を投入する、効率的で高精度な調査サービスの提供を目指している

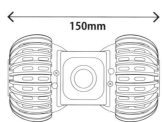
150mm

Dymon

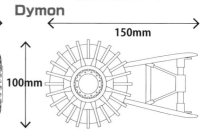
150mm
100mm

高精度なピンポイント着陸技術と、小型で軽量な探査システムの実現を目指した月面探査機です。月面の地形を画像サーチし、着陸地点を正確に認識して誤差修正を行い、独自の着陸機構で障害物を回避しながら着陸します。

「YAOKI」はわずか15cmの車輪型の探査ロボットです。一度に多数の探査機を送りこみ、月面を精緻に探査するのに最適な機能を有しています。

「HAKUTO-R」は、近い将来、月面での開発事業が活発化したときに不可欠な、軽量で高精度な貨物輸送ランダーの実用化を目指しています。そのための独特の機構と躯体素材の開発で、独自研究を進めてきました。

JAXAは別として、これらの探査機を開発した2つの民間企業は、従来の日本の宇宙企業のように政府予算に頼ることなく、民間から資金を調達し、独自のアイデアと技術力を活かし、宇宙ビジネス企業として自立することを目指しています。日本に誕生した、若い宇宙ベンチャーに注目です。

JAXA
小型月着陸実証機
「SLIM」
2022年を予定

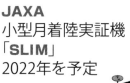

「SLIM」は月面へのピンポイン着陸技術の実証機。小型軽量でありながら月面の地形を画像解析し、誤差100m以内の正確な着陸を行う自動制御機構をもつ

提供 JAXA

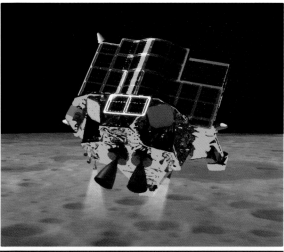

ispace
月面資源探査機
「HAKUTO-R」
2022年度を予定

「HAKUTO-R」は宇宙開発ベンチャー企業ispace社が独自開発した、月面への物資輸送を行うランダー。躯体素材に炭素繊維強化プラスチック(CFRP)を使用し軽量化をはかり、約30kgの荷物の積載が可能。低コストでの月面への物流プラットフォームの提供を目指している

ispace社は、同時に小型の月面探査車の開発も行っている。月面の水資源探査を目的に「HAKUTO-R」とともに月へ行く

月と火星への入り口 「ゲートウェイ」を建設

🚀 地球と月面の中継基地

月の周回軌道上に建設される「ゲートウェイ（入り口の意味）」は、文字通り、これからの宇宙開発の「入り口」といえます。

ゲートウェイが担う重要な役割のひとつは、2030年代に本格化すると予想される月面探査を支援する拠点となることです。

最初期には、無人月面資源探査機を地球から制御する通信の中継基地として使われ、月面基地の完成後は、地球から月への物資輸送の中継基地としても活躍するでしょう。また月面で何らかの事故が起きた場合、緊急避難所としての役割も期待されています。

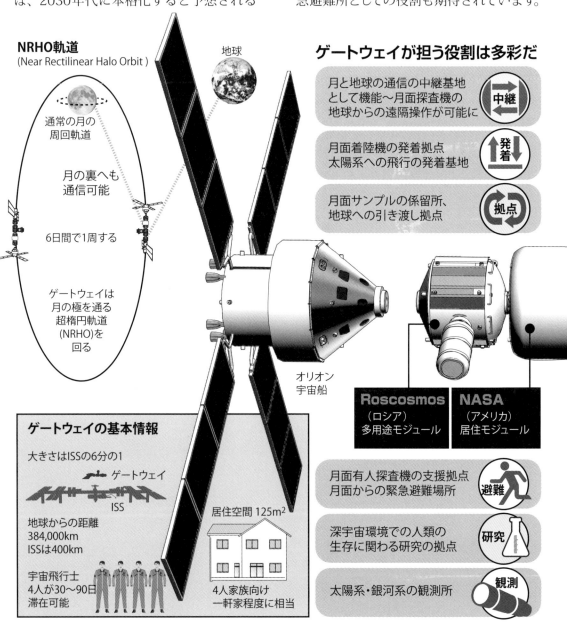

NRHO軌道
(Near Rectilinear Halo Orbit)

地球

通常の月の周回軌道

月の裏へも通信可能

6日間で1周する

ゲートウェイは月の極を通る超楕円軌道（NRHO）を回る

オリオン宇宙船

Roscosmos（ロシア）多用途モジュール

NASA（アメリカ）居住モジュール

ゲートウェイが担う役割は多彩だ

月と地球の通信の中継基地として機能～月面探査機の地球からの遠隔操作が可能に　**中継**

月面着陸機の発着拠点 太陽系への飛行の発着基地　**発着**

月面サンプルの係留所、地球への引き渡し拠点　**拠点**

月面有人探査機の支援拠点 月面からの緊急避難場所　**避難**

深宇宙環境での人類の生存に関わる研究の拠点　**研究**

太陽系・銀河系の観測所　**観測**

ゲートウェイの基本情報

大きさはISSの6分の1

ゲートウェイ

ISS

地球からの距離
384,000km
ISSは400km

宇宙飛行士
4人が30～90日
滞在可能

居住空間 125m²

4人家族向け
一軒家程度に相当

🚀 火星までの長距離飛行を支援

ゲートウェイのもうひとつの役割は、火星探査の拠点となることです。地球から月までは約38万kmですが、火星までは最短でも約5500万km。ロケットで片道7～8カ月もかかります。p28～29で見たように、ロケットが最も燃料を必要とするのは、上空100kmの宇宙空間に達するまでです。ここまでで大半の燃料を使い切ってしまいます。火星まで行くには、大量の燃料が必要になり、その燃料の重量を持ち上げるためには、さらに多くの燃料が必要です。

もしゲートウェイに、燃料満タンのロケットが待っていれば、火星への探査飛行はずっと容易になるでしょう。人類を火星に送るためにも、ゲートウェイの建設は欠かせないものなのです。

日本もゲートウェイ建設に積極的に参画し、国際共同開発の居住モジュールの建設に協力し、生命維持装置をはじめとする重要なシステムの提供を担っています。

月軌道プラットフォーム・ゲートウェイ
Lunar Orbital Platform–Gateway

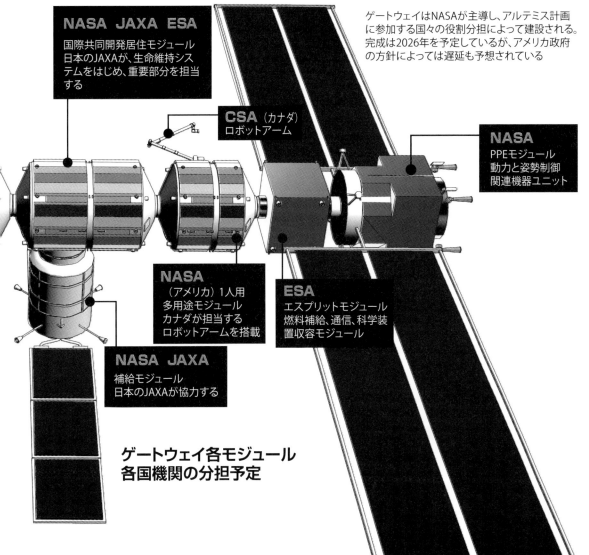

ゲートウェイはNASAが主導し、アルテミス計画に参加する国々の役割分担によって建設される。完成は2026年を予定しているが、アメリカ政府の方針によっては遅延も予想されている

NASA JAXA ESA
国際共同開発居住モジュール
日本のJAXAが、生命維持システムをはじめ、重要部分を担当する

CSA（カナダ）
ロボットアーム

NASA
PPEモジュール
動力と姿勢制御
関連機器ユニット

NASA
（アメリカ）1人用
多用途モジュール
カナダが担当する
ロボットアームを搭載

ESA
エスプリットモジュール
燃料補給、通信、科学装置収容モジュール

NASA JAXA
補給モジュール
日本のJAXAが協力する

**ゲートウェイ各モジュール
各国機関の分担予定**

いよいよ人類が再び月へ
月面基地の建設を目指す

🚀 ゲートウェイ経由で月へ

「アルテミス計画」のひとつの山場は、有人月面探査です。半世紀前の「アポロ計画」とは異なり、今回の月着陸の目的は、宇宙飛行士たちが長期間にわたって月面で生活するための月面基地の建設です。この

ためにNASAは周到な計画を立てました。

前項で見たように、その中核に位置づけられるのが、月の周回軌道を回るゲートウェイです。ゲートウェイまで宇宙飛行士を送るため、アポロの3倍の大きさのオリオン宇宙船の飛行実験が進んでいます。

この大型宇宙船を宇宙空間まで運ぶロ

いよいよ人類の
月での新たな
活動が始まる
アルテミスEM-3

SLS スペース・ローンチ・システム
スペースシャトルの後継として、地球の周回軌道の外側に行くためにNASAが開発を進めるロケット。2段式ロケットで、最大打ち上げ能力は130tの最強のロケット

② 8分後に下段分離
157km上空

① 発射後2分で
ブースター分離
45km上空

③ 16分後
ソーラーパネル展開
484km上空

④ 54分後
1,791km上空
上段点火

⑤ 1時間53分後
オリオン宇宙船分離
3,849km上空

地球の引力圏からの脱出には
時速40,320km以上の
スピードが必要

全長
98m

非常
脱出装置

**オリオン
宇宙船**
クルーモジュール
サービスモジュール

SLS
ロケット上段
RL-10B2エンジン

ロケット
上段

ロケット
下段

液体酸素
タンク

液体水素
タンク

固体燃料
ブースター

RS-25
エンジン

人間

ソーラーパネル

ラジエター

前方ウィンドウ   CM-SM結合部

サービスモジュール
(SM)

ドッキング
アダプター

クルー
モジュール
(CM)

Orion オリオン宇宙船
NASAが開発する、外宇宙への有人飛行を目的とする宇宙船。乗員6名が6カ月間活動可能な能力をもつ。クルーモジュールはアメリカが、サービスモジュールはヨーロッパが担当。2014年に無人での初飛行に成功している

ケットは、スペース・ローンチ・システム（SLS）と呼ばれる、史上最大級の推力を誇る巨大ロケットです。

🚀 月着陸後は活動拠点づくり

オリオン宇宙船でゲートウェイに到着した宇宙飛行士たちは、ここで月着陸船に乗り換えます。月着陸船は宇宙飛行士たちを月面に送り届けたのち、あらかじめゲートウェイに集積されていた資材を月面に輸送します。ここから始まるのが、活動拠点となる月面基地づくりです。

簡便な拡張型の居住施設の建設、月の表面を覆う「レゴリス」と呼ばれる細かい砂の処理装置の設置など、月面での作業は膨大です。有人探査に先立ち、探査衛星によって、月の南極にあるクレーターの日陰部分に水資源がある可能性が発見されているため、水資源の探査も開始します。

そもそも人間が過酷な月面環境で生きていくためには、多くのものが必要です。次の項では、それを詳しく見てみましょう。

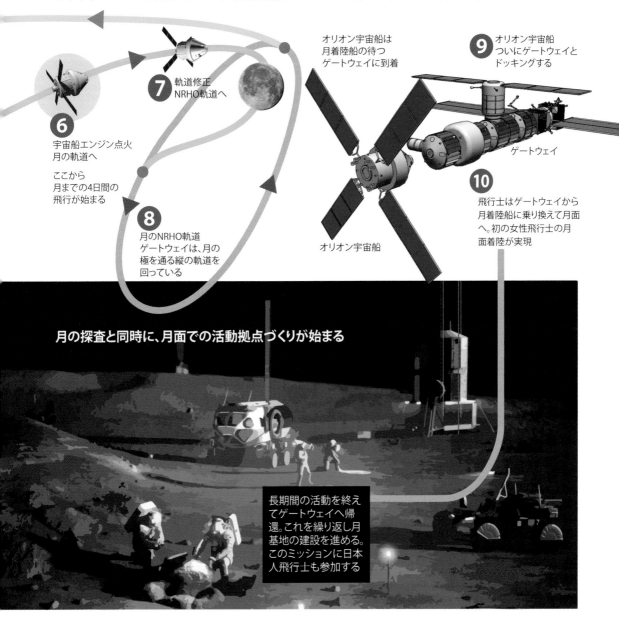

6 宇宙船エンジン点火 月の軌道へ

ここから月までの4日間の飛行が始まる

7 軌道修正 NRHO軌道へ

8 月のNRHO軌道 ゲートウェイは、月の極を通る縦の軌道を回っている

オリオン宇宙船は月着陸船の待つゲートウェイに到着

9 オリオン宇宙船 ついにゲートウェイとドッキングする

ゲートウェイ

オリオン宇宙船

10 飛行士はゲートウェイから月着陸船に乗り換えて月面へ。初の女性飛行士の月面着陸が実現

月の探査と同時に、月面での活動拠点づくりが始まる

長期間の活動を終えてゲートウェイへ帰還。これを繰り返し月基地の建設を進める。このミッションに日本人飛行士も参加する

Part 3 もう一度月へ行こう⑥

人間が宇宙で生きるために手に入れるべき5つの技術

🚀 過酷な宇宙空間で必要なもの

人間が宇宙空間で生きるための技術は、これまで国際宇宙ステーション（ISS）で行われた様々な試みのなかで、数多く習得されてきました。しかし、「アルテミス計画」は、管理されたISSの船内ではなく、過酷な環境にある月面での長期活動を予定しています。そのために必要となるのが、下に挙げた5つの技術です。

ひとつは、人間にとって必須の水と酸素をつくる技術です。月面には岩に混じって相当量の水資源が眠っていると考えられ、その量は一説によれば100億トンともい

月は人間にとって過酷すぎる世界

- まず空気と水がない
- 厳しい気温変化
  昼の最高気温＋120度
  夜の最低気温−180度
  平均気温−　20度
- 重力が地球の6分の1
  低重力による
  健康への影響大
- 強烈な放射線が
  降り注ぐ
  地球の約100倍
- 微小隕石が降り注ぐ
- 1日の長さが
  708時間54分
- 生物がいない
  ＝食料がない
- 心理的な閉塞感の
  心への影響

1 月で水と酸素をつくる
その方法は…
月に隠された水資源の発掘

2 人間が安全に暮らせる住居をつくる
その方法は…
地下住居とレゴリスレンガの家

3 自給自足で食料をつくる
その方法は…
完全閉鎖環境で植物生産工場

4 エネルギーを自給自足する
その方法は…
太陽光発電と電気分解プラントのほか小型原子炉発電も活用

5 完全な閉鎖生態系で生存する
その方法は…
環境制御・生命維持システムをつくる

われています。この水資源を発見できるか否かに、アルテミス計画の成否もかかっています。水は人間の生命維持のためだけでなく、水素を取り出してロケット燃料や燃料電池に使うことも検討されています。一方、酸素については、欧州宇宙機関（ESA）によって、月の砂レゴリスから酸素を取り出す実証実験が行われています。

次に、強力な宇宙放射線から身を守るシェルタータイプの地下施設を建設する技術も必要です。地球の重力を利用した重機が使えないため、レゴリスを焼き固めたレンガを重しにするなど、月面独特の建設法が必要となるでしょう。地球から遠隔操作する建設用ロボットの開発も進んでいます。

将来的には、食料も月で自給できるようになることが理想です。閉鎖空間で稼働する植物工場の技術開発は、すでに世界各国で多くの実績が積み重ねられています。

また、エネルギーの自給、完全循環型の閉鎖生態系システムなどは、ISSで培った技術を応用することになるでしょう。

月には **100億t**の水がある!?

月の表面の砂=レゴリスから酸素を取り出す
ESAは溶融塩電解で、酸素抽出を研究

月の地下には膨大な水資源がある?
NASAの探査機が地下の水資源の存在を示唆

月南極の永久影のクレーターの地下に氷がある?
ESAによって氷の採掘に太陽光鑿岩機が開発されている

採掘された水から、外宇宙航行用の燃料をつくる

H_2 液体水素
液体酸素 O_2

H_2O

日本のJAXAは2030年代に、月面で稼働する燃料製造工場の稼働を計画している

最初は地球からのユニットをレゴリスで覆う → レゴリスを固めたレンガで施設を建設する → 大規模な施設は溶岩チューブの地下洞窟を利用して建設される

↓

マイクロ波で1000℃近くにレゴリスを熱してレンガにする

放射線

人間の尿が基地建設に利用される!!
レゴリス＋尿酸＋3Dプリンター＝建造物
尿酸がレゴレスの固化を遅らせて、3Dプリンターでの建設が可能に

遠隔操作の建設ロボット
基地建設で働くのは遠隔操作の自律型建設ロボット
日本のJAXAと鹿島建設などは、地球上で操作できる土木建築システムを開発している

1980年代から継続して、完全閉鎖生態系内での食料となる植物の栽培実験が続けられ確実な成果が上がっている

世界各国で宇宙植物工場の実験が進んでいる

細胞培養工場でのタンパク質の製造も可能
細胞培養での肉質タンパクの製造技術が、日本のベンチャー企業の研究で飛躍的に高度化。宇宙でのプラント稼働も可能に

循環型再生エネルギーシステム
太陽光線と水を主原料に、電気の蓄電と酸素製造、水素製造プラントで構成されるシステム。JAXAとホンダが計画

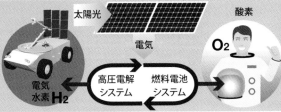

太陽光
電気
酸素
O_2
電気
水素 H_2
高圧電解システム
燃料電池システム

NASAは、太陽光が不足する場合は、小型の核反応リアクターでの発電システムを開発している。原子炉はトイレットペーパー2個分の大きさといわれる

空気循環
O_2製造
CO_2の還元
呼吸
発汗
温度・湿度制御
飲料水
水循環
水再生装置
トイレ
便尿
廃棄物処理

環境制御・生命維持システム（ECLSS）
完全に閉鎖された宇宙空間で、自律的に生命を維持できる環境を提供するシステムづくりに日本は貢献してきた

チーム日本は2029年に
有人月探査ローバーを打ち上げ

🚀 日本の水素カーの技術で月探査

「アルテミス計画」が、宇宙飛行士の月面活動という大きな山場を迎えた段階で、同計画への日本の参画も本格化します。2019年にJAXAが表明した、チーム日本の月資源の有人探査事業計画の実施です。

この計画は、2台の有人月面探査ローバーを駆使して、2029年から2034年までに計5回、全行程1万kmにも及ぶ大規模な月の資源探査を行うというもの。この資源探査に用いられる探査ローバーを、日本の自動車メーカー、トヨタが開発することにも大きな関心が集まっています。

苛烈な月の環境に耐え、駆動困難なレゴリスの砂漠を安全に走り、なおかつ宇宙飛行士が長期間、快適に暮らせるよう与圧された空間を提供する。こんな難題に対して、JAXAとトヨタのチーム日本は「ルナクルーザー」という回答を示しました。

ルナクルーザーには、トヨタが長年研究し、水素カー「ミライ」で実用化した水素燃料電池の技術が結集しています。1回の水素・酸素充填で1,000kmの走行を実現し、発電の副産物として生じる水は、宇宙飛行士の飲料水として利用されます。

現在、想定されている探査対象は、月の裏側の南極点からエイトケン盆地に至る広大なエリアで、主として水資源の探査を中心に、幅広い資源探査が想定されています。ルナクルーザーの探査によって、相当量の水が発見されれば、人類の月開発は、次のステージへと進むことができるでしょう。

2台の「LUNAR CRUISER」が月の南極を走り水資源を探す

4畳半ほどの広さの与圧キャビンで、快適に過ごせる

エンジンは次世代燃料電池で駆動。リチウム固体電池よりも軽量、小型、高性能を実現する

GPSが使えない月で、地形認識での自動運転を実現する

ブリヂストンは月の過酷な環境に耐える、全金属製でしなやかなタイヤを開発した

アポロ計画以来初となる有人探査車

「LUNAR CRUISER」は1万kmを走破する

月面探査は5回、地球時間で42日間のミッションを行う。

1回のミッションの走行距離は2000kmにもなる。しかし、月の1日は地球の28日。だから月時間では、1泊2日の出張になる

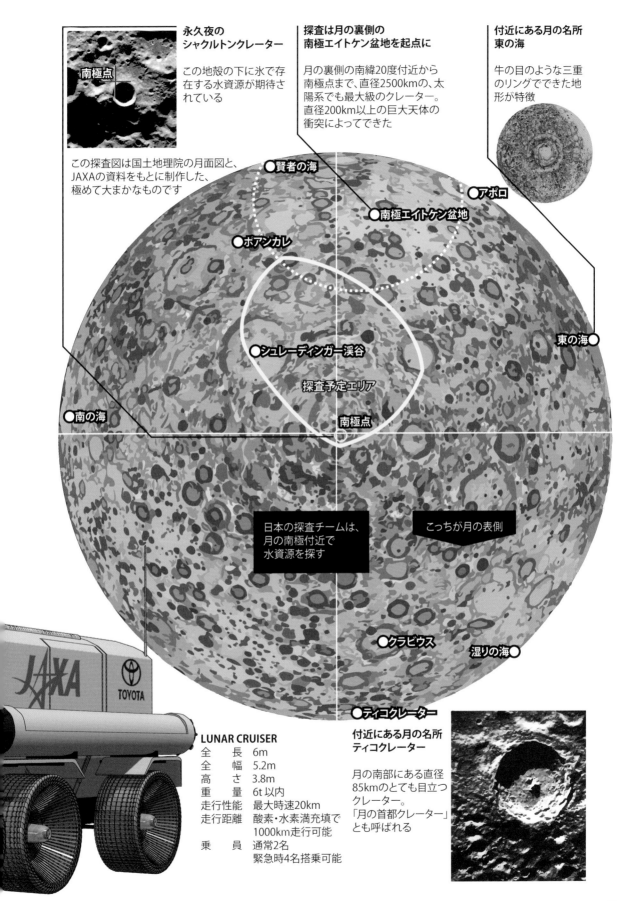

**永久夜の
シャクルトンクレーター**

この地殻の下に氷で存在する水資源が期待されている

南極点

**探査は月の裏側の
南極エイトケン盆地を起点に**

月の裏側の南緯20度付近から南極点まで、直径2500kmの、太陽系でも最大級のクレーター。直径200km以上の巨大天体の衝突によってできた

**付近にある月の名所
東の海**

牛の目のような三重のリングでできた地形が特徴

この探査図は国土地理院の月面図と、JAXAの資料をもとに制作した、極めて大まかなものです

●賢者の海

●南極エイトケン盆地

●アポロ

●ポアンカレ

●シュレーディンガー渓谷

探査予定エリア

東の海●

●南の海

南極点

日本の探査チームは、月の南極付近で水資源を探す

こっちが月の表側

●クラビウス

湿りの海●

●ティコクレーター

**付近にある月の名所
ティコクレーター**

月の南部にある直径85kmのとても目立つクレーター。「月の首都クレーター」とも呼ばれる

JAXA
TOYOTA

LUNAR CRUISER

全　　長	6m
全　　幅	5.2m
高　さ	3.8m
重　　量	6t 以内
走行性能	最大時速20km
走行距離	酸素・水素満充填で1000km走行可能
乗　　員	通常2名　緊急時4名搭乗可能

月面基地は2100年頃には1万人が働く都市へと発展

🚀 人類が月に住む時代へ

人類が再び月面に立ち、そこに探査基地を築いてから70年後の2100年頃、月面の拠点はひとつの都市に発展し、1万人の人々が働く場所となっている。そんな月面都市の未来が、語られています。

月の開拓の初期は、資源探査の時代が続きます。予測通り、月面で水資源が発見されれば、月の開拓は本格化します。まず、発見された水資源から酸素と水素を製造するプラントが建設され、地球とゲートウェイと月面を結んで飛行するカーゴ・ロケットの燃料がつくられます。

月面都市は、地球に対してどんな役割が期待されているのか

1 地球へのエネルギー・地下資源供給基地

●巨大太陽光発電所
天候に左右されず24時間発電できる、月面発電所。ここから電気をマイクロ波に変換して地球に送電する

月面で発電して地球に送電する

マイクロ波レーザー

●ヘリウム3の核融合発電
太陽風によって月表面のレゴリスに集積しているヘリウム3を使った核融合発電も有望視されている

●トリウム発電の実現と、地球への送電
月面に広く分布するトリウムを利用して発電する。廃棄物を出さないクリーンな発電方式として研究が進んでいる

Th

● 酸素と稀少合金の供給基地
レゴリスから、酸素と稀少地下資源を取り出す

月の表面を覆うレゴリスには、体積の4割の酸素が含まれている。これを加熱して取り出す方法をESAは研究している

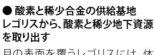

レゴリス

溶融塩電解で950℃に加熱

酸素

稀少金属が残る酸素を抽出した副産物には、様々な合金が含まれている

これまでイメージされた月面都市の2大パターン

1 重力が弱いため、上に伸びる都市

2 危険な放射線を避けた地下都市

現在は地下都市が構想されている

月で燃料を自給することが可能になれば、地球から物資を運搬するコストも低減します。ここから始まるのが、月面での大規模プラント建設です。まず、地球に比べて1.3倍の太陽光エネルギーを電気に変える巨大な太陽光発電所が建設され、マイクロ波レーザーによって地球に電気が送られます。月面での発電はこれだけではなく、月のレゴリスに含まれているヘリウム3やトリウムを利用した発電所も建設されるでしょう。月は地球へのエネルギー供給基地として、重要な役割を担うことになります。

月面都市が担うもうひとつの役割は、人類が太陽系に飛行する際の出発基地となることです。大気がなく、重力も地球の6分の1しかない月面から飛行すれば、燃料が圧倒的に少なくてすみます。月面都市は、2050年代から本格化する火星開拓のベースキャンプとして機能するでしょう。

大量輸送によってロケットの打ち上げコストが安くなれば、月は人類にとって人気の観光スポットとなるかもしれません。

2 宇宙船の燃料供給基地

ロケットの最大の荷物は燃料。地球から外宇宙への飛行をしようとすれば、月での燃料補給が最も合理的

液体酸素　液体水素

酸素　水素

H_2O

水は宇宙における「油」

3 太陽系の惑星へ、そして銀河への飛行の出発基地

重力が弱くて、空気抵抗のない月からの飛行は、地球に比べて圧倒的に少ないエネルギーで可能

4 宇宙の資源の集積と加工センター

様々な惑星・小惑星から採集した資源を月に集積し、精製などの加工を施して地球に送る

Trip to Moon

5 地球人に人気の新しい観光スポット

1950年代に描かれた月旅行へ出発するロケット。これが実現する日がやってくる

53

Part 4
太陽系の もっと遠くへ ①

赤い惑星、火星へ！
無人探査半世紀の歩み

🚀 無人探査機が火星に次々着陸

人類にとって火星は、いつの時代も特別な星でした。地球の隣を周回する赤い惑星は、肉眼でも見え、私たちの宇宙への憧れと想像力をかき立ててきました。そのため、

人類が最初に火星の軌道に投入して、火星の姿を撮影した記念碑的な探査機

（写真右）
初めて撮影された火星のクレーター

史上初めて火星地表で運用された小型ローバー「ソジャーナ」を搭載した火星探査機

ESA初の火星探査機。投下カプセルは着陸に失敗したが、親機は現在も周回軌道で探査を続けている

火星の周回軌道から精密な探査を行う多目的探査機

写真右は火星の塵旋風の様子

| 1964年 マリナー 4号 | 1975年 バイキング 1・2号 | 1996年 マーズ・パスファインダー | 2001年 マーズ・オデッセイ | 2003年 マーズ・エクスプレス | 2003年 オポチュニティ スピリット | 2005年 マーズ・リコネッサンス・オービター | 2011年 キュリオシティ | 2018年 インサイト |

初めて火星に着陸した探査機。クリュセ平原に着陸した

（写真下）撮影された地表からのパノラマ写真

火星の地下を探索し、高緯度の地下に大量の氷の存在を発見

自力走行可能な探査機。14年間にわたって火星の地質調査を行った

写真左上は水の痕跡を示す岩石

火星での生命活動の可能性と、その痕跡を探る探査ローバー。地中より有機物を発見

火星の地質学的進化を研究するため、地震計・熱伝導プローブを装備した探査ランダー。火星の地震を感知

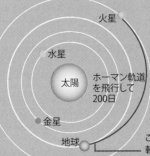

火星への約200日の飛行ルート

火星
水星
太陽
金星
地球
ホーマン軌道を飛行して200日

ホーマン軌道とは、ある軌道（図の場合は地球の軌道）からほかの軌道（火星の軌道）へ移るときにたどる軌道。火星は楕円軌道を描いているため、地球に対して最も近い位置に向けて飛行する。この飛行タイミングは25カ月半に1度しかない。
注・この図は簡略化するために円軌道で描いています

ここでロケットを噴射して地球の公転軌道から火星の軌道に乗り換える

地球と火星を比較すると

直径　　679km
（地球の約半分）

質量　　地球の10分の1
重力　　地球の約38%
1日の長さ　地球の24時間40分
1年の長さ　地球23.5カ月

季節　冬は厳冬　夏は寒冷
大気は地球の10分の1
地球からの距離は
近地点では5500万km
遠地点では4億km

異星人といえば火星人と同義語だった時代が長く続いたのです。

しかし、その星が、実は不毛の大地で、火星人どころか生物は存在しない、そう人々が知らされたのは50年以上前、火星探査機「マリナー4号」が撮影した1枚の写真からでした。以来、人類は2021年までに、成功・失敗合わせて約40機の無人探査機を火星に送りこんでいます。そのうちの主なものを示したのが下のイラストです。

1976年にNASAの「バイキング1号」が初めて火星に着陸して以降、「オポチュニティ」「キュリオシティ」「インサイト」と自力走行の探査ローバーが火星の様々な地点で、かつての水の痕跡や有機物を発見するなど、画期的な探査活動を続けてきました。

そしていま、いよいよ火星へ、有人探査宇宙船が飛び立つ時が訪れようとしています。かつて人々が火星に向けていた想像力が再び花開こうとしています。

UAEの火星探査機「アマル」(ホープ)

アラブ首長国連邦(UAE)初の火星探査機「アマル」
この探査機は主として火星の大気を探査し、かつてあった火星の大気の消失の謎を探る

中国の火星探査機「天問1号」

CNSA

中国初の火星探査機。地上探査ローバーは、火星の地形、地質、気候に関わる幅広い様々な調査を行っている

2021年は3カ国の探査機が火星に到達した

2021年

北極

アスクレウス山
テンペ大陸
カセイ峡谷
アギダリア平原
タルシス山脈
シャロノフ
クリュセ平原
バイキング1号着陸地点
クサンテ
ハヴォニス山
チトニア
ルナ高原
ノクディスラビリンス
マリネリス峡谷
メラス・カズマ
アルシア山
カブリカズマ
シリア高原
シリア丘
アナロア高原
シナイ高原
クラリタス地溝
ソリス高原
ボスポロス高原
エオスカズマ
アルギレ平原

写真に特に記載のないものは、すべてNASAの公開資料より

アメリカ「パーサヴィアランス」と「インジェニュイティ」

「パーサヴィアランス」

アメリカのマーズ2020プロジェクト

探査機「パーサヴィアランス」と火星ヘリコプター「インジェニュイティ」で構成され、かつて火星で生命活動が可能だったかを調査している

ヘリコプター「インジェニュイティ」

火星有人飛行の有力候補
民間ロケット「スターシップ」

🚀 200日間で地球から火星へ

そのロケットは、まるで銀色の巨大なイカのようでした。上空から降下したロケットは、徐々に姿勢を直立させ、エンジンを逆噴射し、そのまま地上にゆっくりと着陸したのです。まるでCGでつくられたSF映画のワンシーンのようでした。

このロケットは、アメリカのスペースX社が火星を目指して開発した「スターシップ」。その着陸実験の成功を同社の動画配信で目撃した世界中の人々は、SFの世界に引きこまれたような大きな衝撃を受けました。

「スターシップ」は、スペースX社の創業

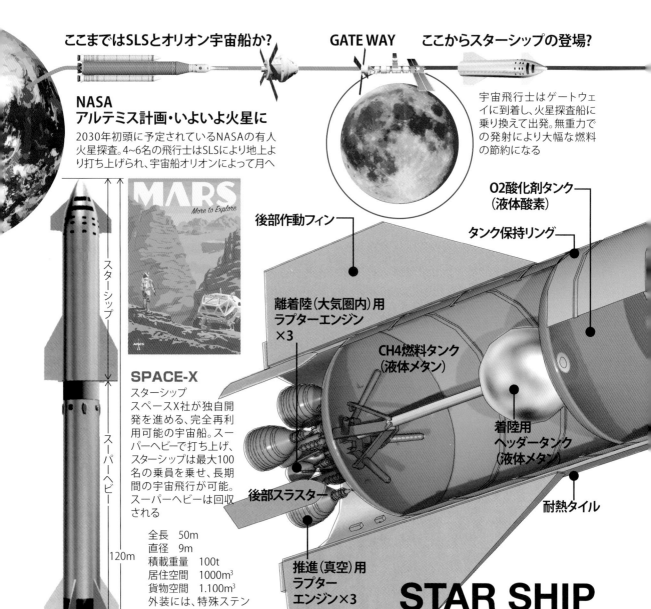

ここまではSLSとオリオン宇宙船か?

NASA
アルテミス計画・いよいよ火星に
2030年初頭に予定されているNASAの有人火星探査。4~6名の飛行士はSLSにより地上より打ち上げられ、宇宙船オリオンによって月へ

GATE WAY　**ここからスターシップの登場?**

宇宙飛行士はゲートウェイに到着し、火星探査船に乗り換えて出発。無重力での発射により大幅な燃料の節約になる

SPACE-X
スターシップ
スペースX社が独自開発を進める、完全再利用可能な宇宙船。スーパーヘビーで打ち上げ、スターシップは最大100名の乗員を乗せ、長期間の宇宙飛行が可能。スーパーヘビーは回収される

全長　　50m
直径　　9m
積載重量　100t
居住空間　1000m³
貨物空間　1.100m³
外装には、特殊ステンレス合金を使用

MARS More to Explore

後部作動フィン

O2酸化剤タンク（液体酸素）

タンク保持リング

離着陸（大気圏内）用ラプターエンジン×3

CH4燃料タンク（液体メタン）

着陸用ヘッダータンク（液体メタン）

後部スラスター

耐熱タイル

推進（真空）用ラプターエンジン×3

STAR SHIP

者イーロン・マスク氏が2010年代から開発を主導してきた超大型の2段式ロケットです。1段目のブースター「スーパーヘビー」と2段目の宇宙船「スターシップ」によって構成され、全長はロケットとしては世界最長の120m。同社によれば、宇宙船部分は、最大100名の乗員、または100トンの荷物を乗せて、地球から最短でも5500万km離れた火星まで、約200日で飛行する能力をもっているといいます。

NASAは、火星への有人探査を「アルテミス計画」の最大目標ととらえ、2030年代初期の実施を表明しています。このとき使用される宇宙船は、まだ正式に決まっていませんが、「スターシップ」は有力候補です。下の図は、この計画に「スターシップ」が使用された場合を想定して、打ち上げから火星着陸までを描いたものです。

「スターシップ」は、民間宇宙旅行にも使われる予定で、スペースX社は2023年に日本人実業家らを乗せて、月周回旅行を実現させると表明しています。

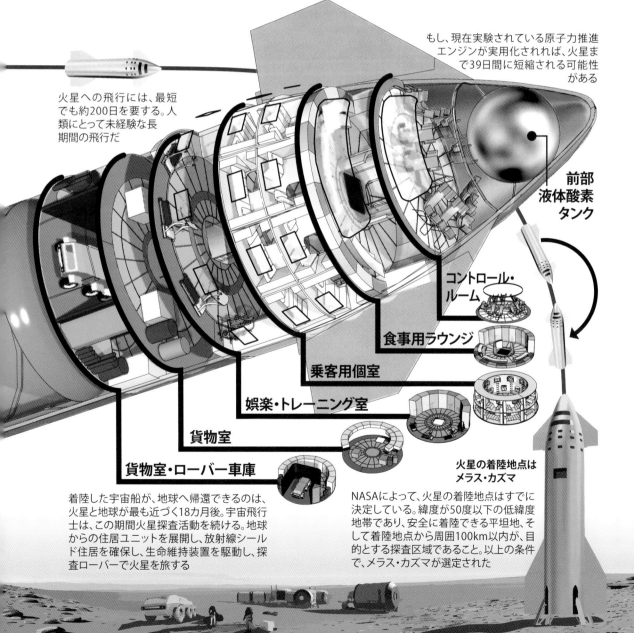

もし、現在実験されている原子力推進エンジンが実用化されれば、火星まで39日間に短縮される可能性がある

火星への飛行には、最短でも約200日を要する。人類にとって未経験な長期間の飛行だ

前部液体酸素タンク

コントロール・ルーム

食事用ラウンジ

乗客用個室

娯楽・トレーニング室

貨物室

貨物室・ローバー車庫

着陸した宇宙船が、地球へ帰還できるのは、火星と地球が最も近づく18カ月後。宇宙飛行士は、この期間火星探査活動を続ける。地球からの住居ユニットを展開し、放射線シールド住居を確保し、生命維持装置を駆動し、探査ローバーで火星を旅する

火星の着陸地点はメラス・カズマ

NASAによって、火星の着陸地点はすでに決定している。緯度が50度以下の低緯度地帯であり、安全に着陸できる平坦地、そして着陸地点から周囲100km以内が、目的とする探査区域であること。以上の条件で、メラス・カズマが選定された

Part 4
**太陽系の
もっと遠くへ
③**

火星に移住した人類が暮らすのは
地球環境を再現したドーム都市

🚀22世紀には火星都市が誕生？

　火星への有人飛行まで、あと約10年。その先に予想されているのが、火星移住です。

　「アルテミス計画」で火星に飛んだ宇宙飛行士たちは、その後18カ月間を火星で暮らすことになります。燃料を節約して最短距離で帰還するためには、地球と火星が最適な軌道配置になるのを待つ必要があるからです。そのため火星探査の任務にあたる宇宙飛行士たちは、長期間の滞在を余儀なくされ、探査・研究のために火星に住む人もしだいに増えていきます。

　火星移民の初期は、生き延びるために宇

1 移民初期
まず生き延びるための、
小さなシェルターをつくる

2 移民中期
地下施設のネットワークと、
ミニ地球環境ドーム

放射線を避けて、人間は
地下のシェルターで暮らす

地球との通信
遅延、3分から
最大22分

最初期は、水・酸素・水素・
資材は地球から運ぶ

エネルギーは超小型原子力が有望視されている

地球の植物を生育させる
植物工場が、
最重要施設

そして、水資源を探して
探査を続ける

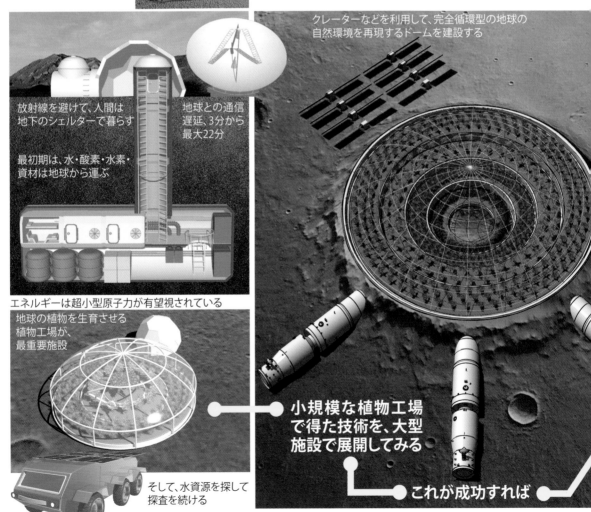

クレーターなどを利用して、完全循環型の地球の
自然環境を再現するドームを建設する

小規模な植物工場
で得た技術を、大型
施設で展開してみる

これが成功すれば

宙放射線を避けて、地下のシェルターで暮らすことになるでしょう。p48〜49で見たように、この施設に必要なのは、まず閉鎖式循環型の生命維持システムです。次の段階では、食料を自給するために植物工場が必要になります。最初は小型の実験施設で、光を取りこむ温室内に地球環境を再現し、最適な生育種と生育方法を探ります。

2050年以降は、実験施設での成果をもとに、より大型の植物工場をシェルターの外輪などに建設します。土壌、水環境、大気を地球と同じように調整された大農場は、人間も住める場所となります。このように、地球外の天体の一部を、人間が住めるように地球化することを「パラテラフォーミング」といいます。2100年代頃には、増加する火星移民のために、巨大ドームが建設され、パラテラフォーミングされた内部で、人々は地球にいるのと同じように暮らします。最終的には巨大ドームで火星をすっぽり覆い、第2の地球にする、という壮大な計画を提唱する研究者もいるほどです。

3 移民完成期

火星の地上にパラテラフォーミング都市が誕生する

火星の地表を巨大なドームで覆い、その内部に人間が生きられる環境を作る、パラテラフォーミング構想が主流となっている

スペースX社のイーロン・マスク氏などは、火星で核爆発を起こし、火星の気候を温暖化させるテラフォーミングを主張しているが、現在支持する研究者は少ない

火星の地上に誕生する巨大ドームの中の地球。図はインドの新聞「ニューインディア」に掲載された、パラテラフォーミング都市の想像図

人間は、地球にいるのと同じ暮らしができる

都市ひとつをカバーする
パラテラフォーミングへ

地下施設は火星の土を利用した素材で、ロボットによる自動建設が進む

支柱の高さは1000m

ドームの内側は地球と同じ気圧と同じ組成の大気

再現された地球の植生

人類は**太陽**の謎を知るために観測衛星と探査機を飛ばした

🚀 太陽系の中心で輝く太陽

　太陽は、太陽系で唯一、自ら輝く恒星です。右下の図に示したように、太陽系には、太陽に近い順に、水星、金星、地球、火星、木星、土星、天王星、海王星の8つの惑星があり、それぞれ自転しながら太陽の周りを公転しています。

　地球と太陽の距離は、約1億4,960万km。これを1天文単位（astronomical unit：記号au）といい、太陽系の天体間の距離を表す単位として用いられます。例えば、太陽から最も遠い惑星、海王星までは約45億440万km＝約30.1auなので、太陽と地球の30倍以上離れていることがわかります。

🚀 超高温の太陽への接近に挑戦

　人類は大昔から、光と熱を与えてくれる太陽を崇め、その謎に迫ろうとしてきました。より詳しい太陽観測のために、人工衛星や探査機が打ち上げられるようになったのは、1960年代以降のこと。右に示したのは、近年の主な観測衛星や探査機です。

　月や火星の探査と異なり、超高温の太陽は、近づくことさえ容易ではありません。そのため、過酷な環境から探査機を守る、強力な耐熱素材が開発されてきました。

　欧州宇宙機関（ESA）が主導する「ソーラー・オービター」は、2020年に7700万kmまで接近して太陽を撮影することに成功。NASAの「パーカー・ソーラー・プローブ」は、2024年に600万kmまで最接近することを目指しています。

主な観測衛星・探査機

日本の観測衛星も活躍している

1991-2001 太陽観測衛星 **ようこう**	日本の旧文部省宇宙科学研究所が開発した観測衛星。X線望遠鏡によって太陽フレアの観測と測定に大きな成果をあげた
2006-運用中 太陽観測衛星 **ひので**	JAXAと国立天文台が協力して開発した、高精度望遠鏡による太陽観測衛星。軌道上の太陽天文台として、世界の研究者に貢献している

NASA・ESAなどの太陽観測衛星・探査機

1974-1986 太陽探査機 **ヘリオス**	西ドイツとNASA共同開発の太陽探査機シリーズ。1・2号機がある。探査機として初めて水星軌道の内側に入って太陽観測を行った
1995-運用中 太陽圏観測機 **SOHO**	ESAとNASA共同開発の太陽観測機。太陽と地球の間の大きな楕円軌道を飛び、太陽風の観測で太陽フレアの発生予報に活躍
2018-運用中 宇宙・太陽探査機 **パーカー・ ソーラー・ プローブ**	NASA・ジョンズホプキンス大学共同開発の太陽探査機。太陽へ600万kmまで接近して、太陽表面の活動と、太陽風発生のメカニズムを探る。2024年に太陽へ最接近する
2020-運用中 太陽観測衛星 **ソーラー・ オービター**	ESAが開発した太陽観測衛星。地球からの観測が難しい太陽の極地方の観測を行う。太陽風と磁場発生のメカニズムなど、太陽活動と太陽圏のしくみを探る

太陽系の距離を表す基準

1au = 1天文単位
地球から太陽までの距離、
約1億4960万kmを基準にしている

太陽 — 水星 (約0.4au)
金星 (約0.7au)
火星 (約1.5au)
地球 (1au)
木星 (約5.2au)

太陽は50万kmの深さに核融合炉をもっている

太陽コロナの活動をとらえた、鮮明な600万枚以上のX線画像を撮影した。この画像によって世界の太陽コロナ研究が大きく前進した

「ひので」の可視光磁場望遠鏡により、太陽の極点の観測が高精度に可能になり、太陽極域磁場反転現象をとらえた

約11年の長期にわたって、太陽表面、太陽風、太陽放射線を継続して観測した

50万℃もの高熱に耐えるために、超軽量の断熱カーボンフォームが開発された。観測機は太陽面に向けて、ホワイトセラミックスでコーティングされている

太陽の高熱に耐えるために、多層構造のチタン製断熱板が開発され、この耐熱シールドで衛星を保護している

対流層

放射層

中心核

ここで核融合反応が起こっている
詳しくは次のページで

光球

黒点

コロナ

彩層

プロミネンス

地球

太陽の基礎データ

直径は約140万km(地球の109倍)
質量は1.9891×10 /30kg(地球の33.3万倍)
これは太陽系の全質量の99.86%を占める
体積は1.41×10/27㎥(地球の約130万倍)

自転周期	赤道で27日6時間36分
公転周期	銀河系の軌道を一周するのに約2億2500万年かかる
地球へ光が届く時間	8.3分

土星 (約9.6au)

天王星 (約19.2au)

海王星 (約30.1au)

太陽は核融合によって燃え 高温の太陽風を吹き出す

🚀 太陽風から地球を守る磁場

太陽が誕生したのは、約46億年前。水素ガスが集まって巨大化し、中心部で核融合反応が起き、光り輝くようになりました。核融合とは、軽い原子が結びついて、重い原子に変わっていくこと。太陽の主成分である水素が4個結びつき、最終的にはヘリウム4に変わる過程で、膨大なエネルギーが生じるのです。ただし、このエネルギーは永遠に続くものではなく、約50億年後に水素を使い切ってしまうと、太陽は消滅すると考えられています。

太陽の大気の一番外側は、「コロナ（光冠）」と呼ばれています。普段は見えませんが、月が太陽を覆い隠す皆既日食のとき、太陽の周りに白く輝いて見えるのがコロナです。100万℃という途方もない高温に達するコロナからは、プラズマ（電気を帯びた素粒子のガス）が絶えず放出されており、秒速400㎞以上の「太陽風」となって、太陽系に広がっていきます。この太陽風が届く範囲を「太陽圏」といい、太陽の重力の影響が及ぶ「太陽系」はさらに広い範囲です。

太陽風には、宇宙放射線も含まれているため、生物がまともに浴びると死に至ります。私たちが地球に住んでいられるのは、磁場によって太陽風から守られているからです。ほかに磁場があるのは、「木星型惑星」と呼ばれるガスでできた惑星（木星、土星、天王星、海王星）。岩石でできた「地球型惑星」のうち、火星と金星には磁場がなく、水星は磁場があってもわずかです。

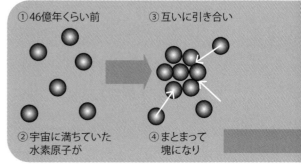

① 46億年くらい前　　③ 互いに引き合い

② 宇宙に満ちていた水素原子が　　④ まとまって塊になり

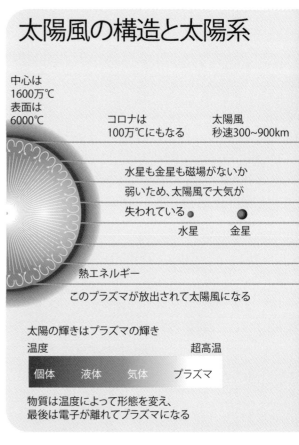

太陽風の構造と太陽系

中心は1600万℃
表面は6000℃

コロナは100万℃にもなる

太陽風 秒速300〜900km

水星も金星も磁場がないか弱いため、太陽風で大気が失われている

水星　　金星

熱エネルギー

このプラズマが放出されて太陽風になる

太陽の輝きはプラズマの輝き

温度			超高温
個体	液体	気体	プラズマ

物質は温度によって形態を変え、最後は電子が離れてプラズマになる

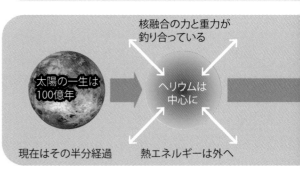

核融合の力と重力が釣り合っている

太陽の一生は100億年

ヘリウムは中心に

現在はその半分経過　　熱エネルギーは外へ

太陽の中心で起こっている核融合のしくみ

この図は複雑なしくみを、極めて簡略化して描いてします

⑦その中心では水素原子が
ギュウ詰めで高温になり
1600万℃にもなった

⑧その結果、普段は
電子が反発して
くっつかない原子が

陽子 電子

⑫この核融合の過程で

⑬太陽の莫大な
熱エネルギーが
生まれる

⑥太陽くらいに巨大になると

⑪核融合が連続して起こり

⑭⁴He
最終的に
ヘリウム4
ができる

⑤自らの重力で中心に
巨大な圧力がかかり

⑨高温高圧で融合してしまう
電子が飛び出し
ニュートリノも飛び出す

⑩これが核融合

火星は磁場がない

かつての火星には大気があり、
水も豊かな温暖な気候だった
ことが知られている。しかし磁場
がないため、大気が剥ぎ取られ
赤い砂の星になった

地球の磁場

火星　木星　土星　天王星　海王星

太陽風の及ぶ範囲までを
太陽圏と呼ぶ
（約150auまで）

地球

地球は磁場があるため、
太陽風から大気が守られている

↓

そのため水を保つことができた

地球に多くの生命が誕生した

太陽の熱と光は電磁波として太陽系に広がっている

しかし
約50億年後に、
燃料の水素がなくなる

赤色巨星になる

太陽の100-1000倍になる

水星と金星は
飲みこまれる

白色矮星になる

中心だけが残り、
あとは宇宙に
四散する

白色矮星が冷えて、
黒色矮星になって

ヘリウム

空っぽ

終わり

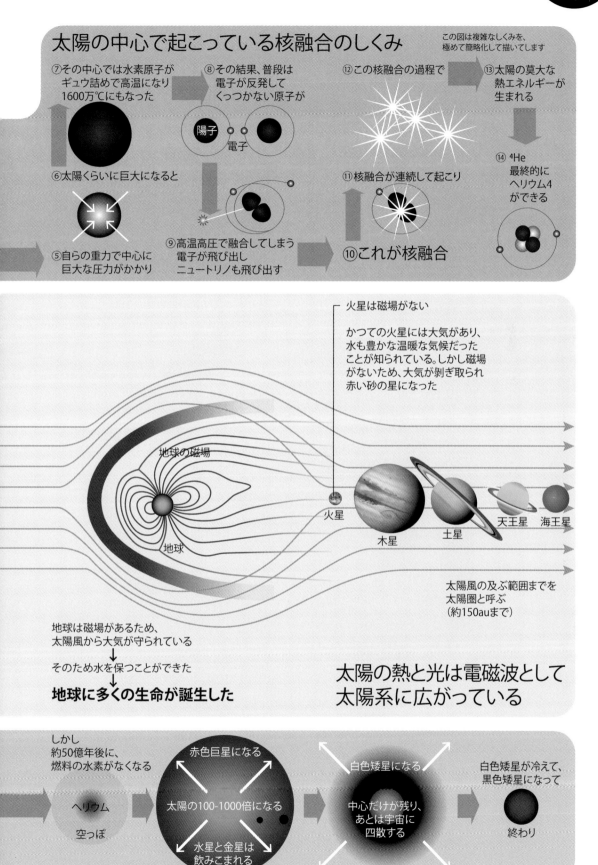

Part 4
太陽系の
もっと遠くへ
⑥

太陽に最も近い水星は
まだ探査途上の小惑星

🚀 昼と夜の気温差 590℃

水星は、太陽系惑星のなかで最も太陽に近く、半径は地球の約5分の2しかない小さい惑星です。自転が遅く、昼が88日、夜が88日続くうえ、太陽熱をやわらげる大気がほとんどないため、表面温度は430℃から-160℃まで変化します。

太陽に近いため探査が難しく、これまでに成功したのは、NASAの惑星探査機「マリナー10号」と水星探査機「メッセンジャー」だけ。2018年にはJAXAと欧州宇宙機関（ESA）が水星探査機「ベピ・コロンボ」を打ち上げ、2025年の到着を目指しています。

水星への最初の探査機は NASAのマリナー10号

アメリカのマリナー計画の最終機。複数の惑星を1機で探索した最初の探査機で、水星表面の40%の写真撮影も行った

マリナー10号は水星に327kmまで接近して観測を行い、水星の厳しい環境を人類に知らせた

マリナー10号の発見1
水星の自転が非常に遅い
水星は地球の59日間で1回転する

マリナー10号の発見3
陽が差さない夜は極寒の地
夜間の温度は-160℃

カロリス盆地

マリナー10号の発見2
太陽に最も近い星だから
昼間の温度は430℃の灼熱

写真はメッセンジャーが▶撮影した水星

地面を日陰が動く速度も遅い
その速度は時速3.5km。
太陽の光から歩いて逃げられる

2011年に2機目の探査機メッセンジャーが水星に到達

NASAの水星探査機メッセンジャーは、水星の物質構成、磁場、地形、大気の成分などの観測に成功した

2015年に水星表面に落下して運用は停止した

水星の基本データ

直　　径	4,880km（地球の0.4倍）	
質　　量	地球の18分の1	
重　　力	地球の0.38倍	
公転周期	88日	
自転周期	59日	
大気の成分	水素、ヘリウム、酸素、ナトリウム、カルシウム、カリウムなど	
衛星の数	0	

水星の地殻構造

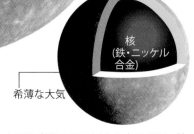

マントル
（ケイ酸塩）

核
（鉄・ニッケル合金）

希薄な大気

水星は半径の70%以上を占める硬い鉄のコアを持っている。その表面は月に似た無数の衝突クレーターに覆われている。中には直径1550km、太陽系最大級のカロリス盆地がある

Part 4
**太陽系の
もっと遠くへ
⑦**

厚い雲に覆われた**金星**を
冷戦下の米ソが競って探査

🚀太陽系で最も明るく輝く惑星

金星は、太陽系で最も明るい惑星です。これは、金星を覆う厚い雲が、太陽の光を反射しているからです。明け方と夕方に特にはっきり見えるため、「明けの明星」「宵の明星」とも呼ばれます。金星の自転は、

水星よりさらに遅いにもかかわらず、大気の上層では「スーパーローテーション」と呼ばれる秒速100mの強風が吹いています。

初の金星探査は、1961年に始まったソ連の「ヴェネラ計画」。次いでアメリカの「マリナー計画」が始まり、米ソが競うようにして金星の謎を解き明かしていきました。

1960年代は東西冷戦が金星でも。米ソは競って探査機を送りだした

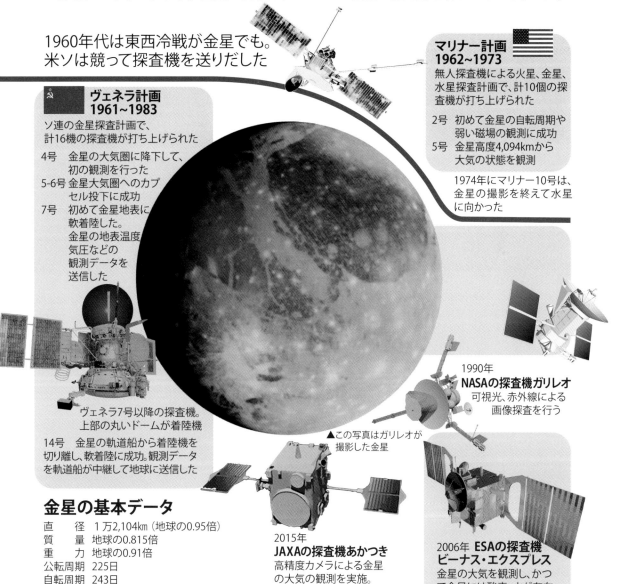

**ヴェネラ計画
1961~1983**
ソ連の金星探査計画で、計16機の探査機が打ち上げられた

4号　金星の大気圏に降下して、初の観測を行った
5-6号　金星大気圏へのカプセル投下に成功
7号　初めて金星地表に軟着陸した。金星の地表温度、気圧などの観測データを送信した

ヴェネラ7号以降の探査機。上部の丸いドームが着陸機

14号　金星の軌道船から着陸機を切り離し、軟着陸に成功。観測データを軌道船が中継して地球に送信した

**マリナー計画
1962~1973**
無人探査機による火星、金星、水星探査計画で、計10個の探査機が打ち上げられた

2号　初めて金星の自転周期や弱い磁場の観測に成功
5号　金星高度4,094kmから大気の状態を観測

1974年にマリナー10号は、金星の撮影を終えて水星に向かった

1990年
NASAの探査機ガリレオ
可視光、赤外線による画像探査を行う

▲この写真はガリレオが撮影した金星

2015年
JAXAの探査機あかつき
高精度カメラによる金星の大気の観測を実施。現在は金星の気象衛星として機能している

2006年 **ESAの探査機
ビーナス・エクスプレス**
金星の大気を観測し、かつて金星には酸素、水が存在していたことを突き止めた

金星の基本データ

直　　径	1万2,104km（地球の0.95倍）
質　　量	地球の0.815倍
重　　力	地球の0.91倍
公転周期	225日
自転周期	243日
大気の成分	二酸化炭素、窒素など
衛星の数	0

灼熱地獄の**金星**でも
雲の中なら人も暮らせる

🚀究極の温室効果が生む灼熱地獄

金星と地球は、大きさも重力も構造もよく似ており、双子（ふたご）の惑星ともいわれます。しかし、金星の地表温度は460℃にもなり、とても生物が住める環境ではありません。なぜこれほど高温になるのでしょう？

金星の上空約45〜70kmには、濃い硫酸（りゅうさん）の雲があり、惑星を覆（おお）っています。太陽から注ぐ熱は、この雲にさえぎられ、わずかしか地表に届きません。ところが、金星の大気の96％を占める二酸化炭素（CO_2）には、「温室効果」（おんしつこうか）と呼ばれる働きがあり、わずかな太陽熱を閉じこめて、気温を上昇さ

70km上空の雲の上は
平均気温約30℃
でも酸素はない

硫酸の雲の中に生命の痕跡が発見されている

NASAは金星の雲からホスフィン（リン化水素）が発見されと発表。ホスフィンは地球では生命活動でしか生成されない。金星の雲のなかに生命活動があることの証拠とも考えられている

30km　濃硫酸の雲
温室効果ガス

温室効果

赤外線

金星の長い1日
金星の自転速度は水星と同様にとても遅い。1回転するのに地球時間で243日もかかる。しかも自転方向が地球と逆だから、太陽は西から昇る。もっとも雲で地表からはほとんど見えないが

地表の温度は
太陽系最高の460℃

せてしまいます。地球もいま、CO$_2$の増加によって温暖化が進んでいますが、地球の大気に含まれるCO$_2$は、わずか0.04％。それに比べると、金星のCO$_2$は桁違いに多く、温室効果がいかに強いかがわかるでしょう。

地上50kmの空中都市

過酷な環境にある金星には、生命は存在しないと考えられてきました。2020年、NASAは金星の雲のなかに、ホスフィンという物質を発見。ホスフィンは、生命活動によって生じるため、何らかの生命が存在する可能性があるともいわれています。

実は、過酷な環境にあるのは地表でのことで、上空約50kmの雲の中は、気温約20℃、気圧も地球と同じ1気圧です。そのため、空中なら人間が住むことも不可能ではないと考えられています。

下のイラストは、その想像図です。灼熱の地表は利用できないため、飛行船を大気圏に送りこんで浮遊させ、人々は空中で暮らすことになると予想されています。

金星での人間の生存圏は
気球で浮かぶ空中都市

科学者の中には、人類が惑星移住をするのには、火星より金星が適しているという意見がある。大気のおかげで火星と違って脅威的な放射線がない。快適な気温でもある。ただし地表には降りられない。人間が移住するなら空中で生活することになるだろう

太陽になれなかった巨大ガス惑星
木星は個性的な衛星を従える

🚀火山や海もある木星の衛星

木星は、直径が地球の11倍もあり、太陽系で最も大きい惑星です。太陽と同じく、ほとんどが水素でできたガスのかたまりですが、太陽のように自ら光り輝くことはありません。もし木星の質量（物体に含まれる物質の量）が、いまの80倍大きかったら、水素による核融合を起こして、第2の太陽になっていたともいわれています。

木星の表面には、茶褐色の縞模様が見えます。これは、自転が早く、あちこちの方向に強風が吹いているためです。また、木星には、これまでに発見されているものだけで79個の衛星があります。そのうちのイオ、エウロパ、ガニメデ、カリストの4つは、17世紀のイタリアの天文学者ガリレオ・ガリレイによって発見され、ガリレオ衛星とも呼ばれます。

1970年代以来、NASAによって木星探査が行われ、イオには噴火する火山があることや、エウロパには氷の層の下に海があり、生命が存在する可能性があることなどが、次々に明らかになりました。

ガリレオが発見した木星の衛星4兄弟

ガリレオ・ガリレイ
(1564~1642)

ガリレオは自作の望遠鏡で、木星の周りを公転する4つの衛星を発見する。この事実から彼は、地球の地動説を確信したと伝えられる。発見された、イオ、エウロパ、ガニメデ、カリストはガリレオ衛星と呼ばれる

ガス状の水素の層

液体水素の層
大気の密度が水素を
液化している

ヘリウムネオンの層
大気圧がヘリウムを
プラズマ化させている

木星は太陽系で
最も放射線の強い
磁気圏を形成
している

木星の基本データ

直　　径	14万2984km（地球の11倍）
質　　量	地球の318倍
重　　力	地球の2.5倍
公転速度	時速4万7000km
自転周期	9時間56分
大気の成分	水素81%、ヘリウム17%
衛星の数	79
表面温度	−108℃
1年の長さ	地球の約12年
日照量	地球の4%

1 イオ
火山が火を噴く星

60km

土星に一番近いため、その重力で地殻が歪み高熱となり活発な火山活動が続く。ボイジャー1号がその様子を最初にとらえた。写真はガリレオ探査機が撮影した溶岩流

2 エウロパ
氷の下の海洋に生物はいるのか?

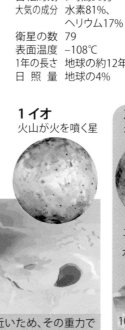

エウロパの断面予想図

水蒸気の噴出　　　表面

亀裂のある砕けた氷の層　10km

100km　　　海洋

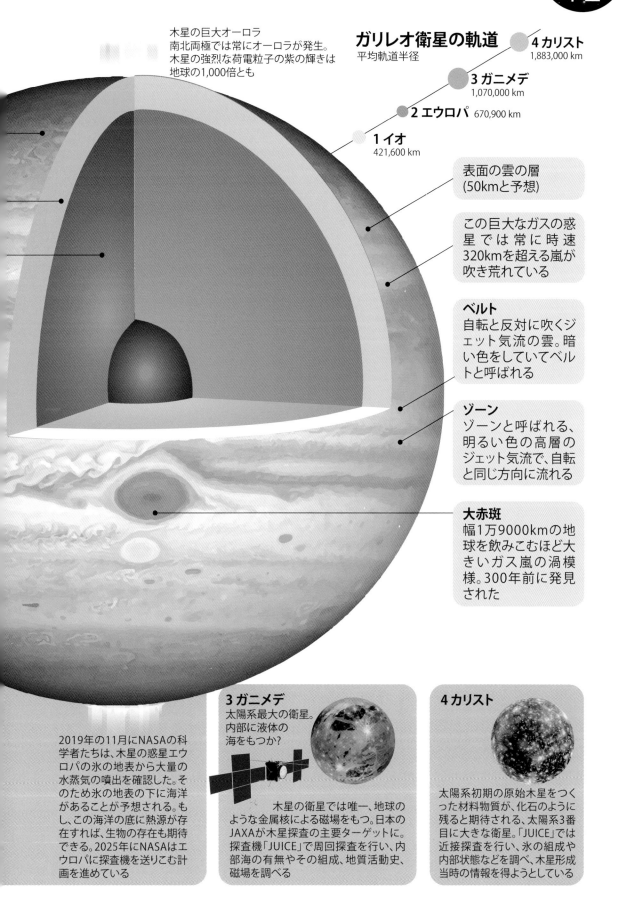

木星の巨大オーロラ
南北両極では常にオーロラが発生。
木星の強烈な荷電粒子の紫の輝きは
地球の1,000倍とも

ガリレオ衛星の軌道
平均軌道半径

4 カリスト
1,883,000 km

3 ガニメデ
1,070,000 km

2 エウロパ 670,900 km

1 イオ
421,600 km

表面の雲の層
（50kmと予想）

この巨大なガスの惑
星では常に時速
320kmを超える嵐が
吹き荒れている

ベルト
自転と反対に吹くジ
ェット気流の雲。暗
い色をしていてベル
トと呼ばれる

ゾーン
ゾーンと呼ばれる、
明るい色の高層の
ジェット気流で、自転
と同じ方向に流れる

大赤斑
幅1万9000kmの地
球を飲みこむほど大
きいガス嵐の渦模
様。300年前に発見
された

2019年の11月にNASAの科
学者たちは、木星の惑星エ
ウロパの氷の地表から大量の
水蒸気の噴出を確認した。そ
のため氷の地表の下に海洋
があることが予想される。も
し、この海洋の底に熱源が存
在すれば、生物の存在も期待
できる。2025年にNASAはエ
ウロパに探査機を送りこむ計
画を進めている

3 ガニメデ
太陽系最大の衛星。
内部に液体の
海をもつか?

木星の衛星では唯一、地球の
ような金属核による磁場をもつ。日本の
JAXAが木星探査の主要ターゲットに。
探査機「JUICE」で周回探査を行い、内
部海の有無やその組成、地質活動史、
磁場を調べる

4 カリスト

太陽系初期の原始木星をつく
った材料物質が、化石のように
残ると期待される、太陽系3番
目に大きな衛星。「JUICE」では
近接探査を行い、氷の組成や
内部状態などを調べ、木星形成
当時の情報を得ようとしている

Part 4
もっと遠くの宇宙を目指す ⑩

美しいリングをもつ土星
衛星には生命の可能性も

🚀 リングの正体は氷や岩石の粒

　土星は、地球から肉眼で見える惑星のなかで最も遠くにあり、美しいリング（環）をもつことで知られています。この神秘的な環の正体は、氷や岩石の粒が集まってできたものです。1675年、イタリア出身の

天文学者カッシーニは、土星の環はひとつではなく複数あり、環と環の間には隙間があることを発見しました。この発見にちなんで、一番広い隙間は「カッシーニの間隙」と呼ばれています。

　土星は、木星とよく似た特徴をもち、ほとんどが水素でできているガス惑星です。

土星の環はどうやってできたのか?

土星の環の美しい環がどのようにしてつくられたかは、近年まで謎だった。最近の研究では、太陽系の外れから飛来した小天体が、巨大な土星の重力で破壊された結果という説が有力

たまたま大きな天体が接近遭遇

土星の磁気圏

強力な引力で破壊される

破壊された破片が土星の磁気圏に集まる

破片同士がぶつかり、より細かくなり、土星の円軌道を回る環になった

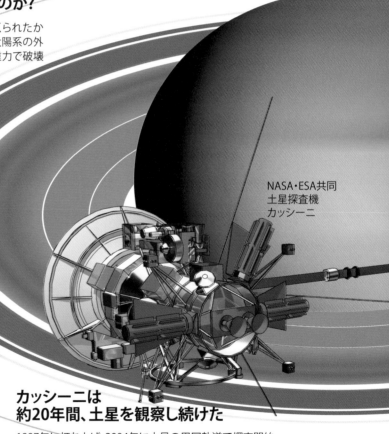

NASA・ESA共同
土星探査機
カッシーニ

カッシーニは
約20年間、土星を観察し続けた

1997年に打ち上げ、2004年に土星の周回軌道で探査開始。
2004年12月に衛星タイタンに探査機を降下させ着陸。タイタンを探査
2006年、衛星エンケラドゥスを探査。地表から間欠泉の噴出を確認。多量の水の存在の証拠を発見した
2006年7月、タイタンの北極に炭化水素の湖を発見
2006年10月、土星の北極に六角形のハリケーンの作る渦を発見
2009年までに、6個の新しい衛星を発見
2017年、運用終了、土星の大気圏に突入
この間に453,048枚の画像を撮影
総飛行距離79億km、3,948件のカッシーニの探査記事が科学雑誌に掲載された

土星の基本データ

直　　径	12万536km(地球の9倍以上)	
質　　量	地球の95倍	
自転周期	地球時間で10時間14分	
公転周期	地球時間で29.5年	
重　　力	地球の約91%	
大　　気	水素93%、ヘリウム5%、メタン、アンモニアも	
衛　　星	82個	
地球からの飛行時間　約3年		

木星に次いで2番目に大きく、多くの衛星が発見されている点でも木星と似ています。衛星の数は命名されたものだけで53、未確定のものを含めると85にもなります。

🚀 土星探査機カッシーニの発見

初の土星探査は、1979年に土星に接近したNASAの惑星探査機「パイオニア11号」。1997年にはNASAと欧州宇宙機関（ESA）が、土星ゆかりの天文学者の名を冠した土星探査機「カッシーニ」を打ち上

げ、以後20年にわたって土星とその衛星を観測し続けました。

「カッシーニ」は2004年12月25日に探査機「ホイヘンス」を衛星タイタンに投入し、翌年1月14日に着陸させることに成功。タイタンにメタンの川や巨大な湖があることを発見しました。また、その後の観測によって、衛星エンケラドゥスには、氷の粒が吹き出す場所があり、水や有機物があることもわかったため、生命が存在する可能性が示唆されています。

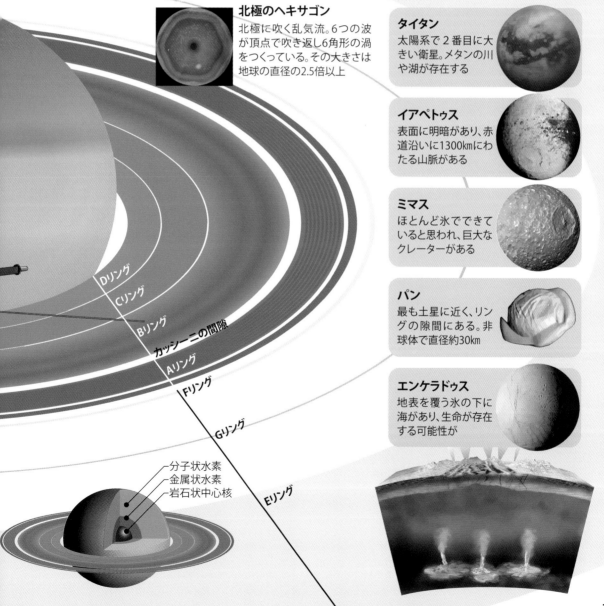

北極のヘキサゴン
北極に吹く乱気流。6つの波が頂点で吹き返し6角形の渦をつくっている。その大きさは地球の直径の2.5倍以上

タイタン
太陽系で2番目に大きい衛星。メタンの川や湖が存在する

イアペトゥス
表面に明暗があり、赤道沿いに1300kmにわたる山脈がある

ミマス
ほとんど氷でできていると思われ、巨大なクレーターがある

パン
最も土星に近く、リングの隙間にある。非球体で直径約30km

エンケラドゥス
地表を覆う氷の下に海があり、生命が存在する可能性が

Dリング
Cリング
Bリング
カッシーニの間隙
Aリング
Fリング
Gリング
Eリング

分子状水素
金属状水素
岩石状中心核

氷とガスでできた青い星
天王星は横倒しで自転する

98度傾いた氷とガスの惑星

天王星（てんのうせい）には、土星と同様にリングがありますが、そのリングは、下の絵のように横倒しになっています。天王星の自転軸は、98度も傾いている（かたむ）からです。これは、惑星が誕生したばかりの頃、巨大な天体と衝（しょう）突したためだと考えられています。

天王星の構造は、海王星（かいおうせい）とよく似ています。どちらも氷とガスでできており、大気に含まれるメタンが、太陽から届く赤い光を吸収するため、青く輝いて見えます。この両惑星に接近した探査機は、NASAの「ボイジャー2号」だけです。

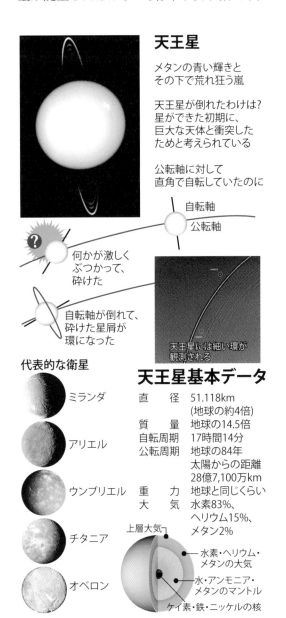

天王星

メタンの青い輝きと
その下で荒れ狂う嵐

天王星が倒れたわけは?
星ができた初期に、
巨大な天体と衝突した
ためと考えられている

公転軸に対して
直角で自転していたのに

自転軸
公転軸

何かが激しく
ぶつかって、
砕けた

自転軸が倒れて、
砕けた星屑が
環になった

天王星には細い環が
観測される

代表的な衛星

ミランダ

アリエル

ウンブリエル

チタニア

オベロン

上層大気

水素・ヘリウム・
メタンの大気

水・アンモニア・
メタンのマントル

ケイ素・鉄・ニッケルの核

天王星基本データ

直 径	51.118km（地球の約4倍）
質 量	地球の14.5倍
自転周期	17時間14分
公転周期	地球の84年
太陽からの距離	28億7,100万km
重 力	地球と同じくらい
大 気	水素83%、ヘリウム15%、メタン2%

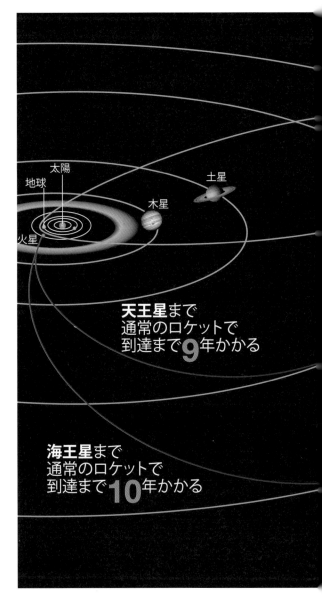

太陽
地球
火星
木星
土星

天王星まで
通常のロケットで
到達まで**9**年かかる

海王星まで
通常のロケットで
到達まで**10**年かかる

Part 4
太陽系のもっと遠くへ ⑫

海王星

太陽から最も遠い**海王星**は暴風が吹く極寒の世界

🚀 逆行衛星トリトンを従える

海王星は、太陽から約45億kmの距離にあり、太陽系で最も外側にある惑星です。太陽から遠いため、表面温度が−220℃しかない極寒の世界ですが、内部に熱をもち、中心部は5000℃以上あると考えられてい

ます。また、表面には強風が吹き、巨大な黒斑が現れたり消えたりしています。

海王星がもつ14の衛星のうち、トリトンは最も大きく、惑星の自転と逆向きに公転する逆行衛星です。表面温度は、太陽系最寒の−235℃と推測される一方、内部加熱による火山活動も見つかっています。

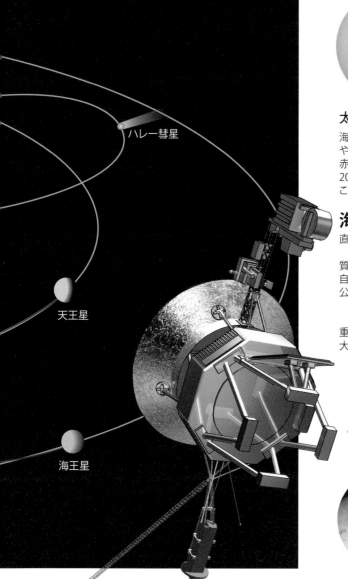

ハレー彗星

天王星

海王星

海王星
最果ての暗くて青いガスの星

太陽系最速の風が吹く

海王星の表面は厚い水素やヘリウムのガスで覆われ、赤道の自転軌道に沿って時速2000km以上の嵐が吹いている。この嵐の渦が大黒斑として現れる

海王星基本データ

直　径	49.528km（地球の3.9倍）
質　量	地球の17倍
自転周期	16時間6分
公転周期	165年 太陽からの距離 44億9,500万km
重　力	地球の約1.13倍
大　気	水素80%、ヘリウム19%、微量のメタン、水、アンモニア

水素・ヘリウム・メタンの大気

上層大気

岩石の核

水・アンモニア・メタンのマントル

海王星

トリトン

反対周りに公転しているその理由は謎

カイパーベルト

衛星トリトンの謎
トリトンは海王星の最大の衛星。ボイジャー2号の調査で地下に水の存在が想定されている。トリトンは太陽系の最も外側のカイパーベルトの星が海王星に捕獲されたもの。トリトンの公転軌道は他の星と逆行している

Part 4 太陽系のもっと遠くへ ⑬

冥王星と太陽系外縁を超えて ボイジャーは太陽圏を脱出した

🚀 海王星の外側にも無数の天体

海王星のさらに外側にある冥王星は、1930年に発見され、太陽系9番目の惑星とされていましたが、現在では「準惑星」に分類されています。2006年に惑星の定義が見直され、大きな天体であっても、公転軌道の近くにほかの天体があるものを「準惑星」と呼ぶことになったからです。

1992年以降、冥王星の近くで、同じように海王星の外側を回る小天体が、無数に発見されました。冥王星も含め、これらは総称して「太陽系外縁天体」と呼ばれ、その多くは、カイパーベルトと呼ばれる円盤

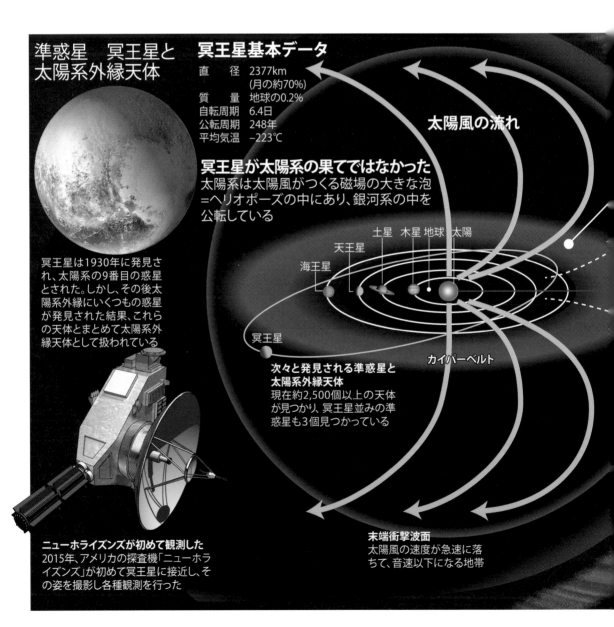

準惑星 冥王星と太陽系外縁天体

冥王星基本データ

直径	2377km（月の約70%）
質量	地球の0.2%
自転周期	6.4日
公転周期	248年
平均気温	−223℃

冥王星が太陽系の果てではなかった
太陽系は太陽風がつくる磁場の大きな泡＝ヘリオポーズの中にあり、銀河系の中を公転している

太陽風の流れ

土星　木星　地球　太陽
天王星
海王星
冥王星
カイパーベルト

冥王星は1930年に発見され、太陽系の9番目の惑星とされた。しかし、その後太陽系外縁にいくつもの惑星が発見された結果、これらの天体とまとめて太陽系外縁天体として扱われている

次々と発見される準惑星と太陽系外縁天体
現在約2,500個以上の天体が見つかり、冥王星並みの準惑星も3個見つかっている

末端衝撃波面
太陽風の速度が急速に落ちて、音速以下になる地帯

ニューホライズンズが初めて観測した
2015年、アメリカの探査機「ニューホライズンズ」が初めて冥王星に接近し、その姿を撮影し各種観測を行った

状のエリアに集中しています。

🚀 ボイジャーの惑星大旅行

1977年、NASA（ナサ）は惑星探査機「ボイジャー1号」とその姉妹機「ボイジャー2号」を打ち上げ、「ボイジャー計画」を実施します。ちょうどこの頃は、180年に1度、木星、土星、天王星（てんのうせい）、海王星がほぼ同じ方向に並ぶ時期だったため、それらの惑星を連続探査する「グランドツアー（大旅行）」を目指（めざ）したのです。このときとられた方法が、探査した惑星の重力を利用して方向や速度を変える「スイングバイ」。これにより、最低限の燃料で次の惑星に飛行できました。

1号は木星、土星を探査したのち、2012年に人工物として史上初めて太陽圏を脱出して星間空間（せいかん）に突入。2号は木星、土星を巡（めぐ）ったあと、天王星、海王星に接近することに成功し、2018年に太陽圏を脱出しました。

この計画で当初予定されていた冥王星探査は見送られ、冥王星に初接近したのは2015年の「ニューホライズンズ」でした。

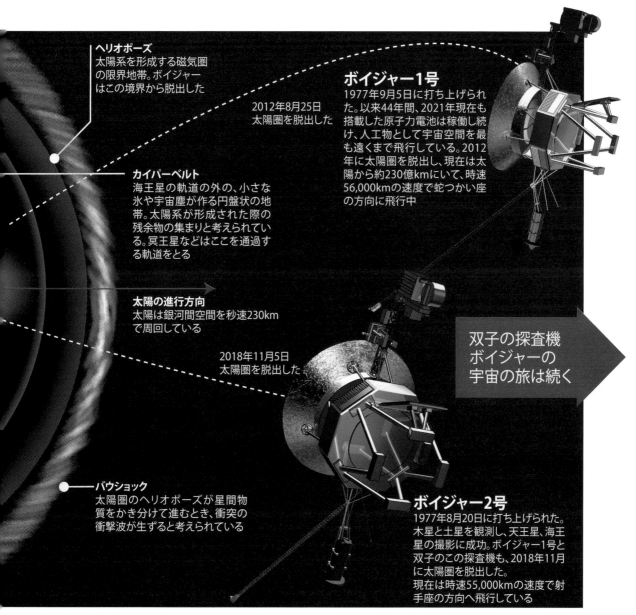

ヘリオポーズ
太陽系を形成する磁気圏の限界地帯。ボイジャーはこの境界から脱出した

2012年8月25日
太陽圏を脱出した

ボイジャー1号
1977年9月5日に打ち上げられた。以来44年間、2021年現在も搭載した原子力電池は稼働し続け、人工物として宇宙空間を最も遠くまで飛行している。2012年に太陽圏を脱出し、現在は太陽から約230億kmにいて、時速56,000kmの速度で蛇つかい座の方向に飛行中

カイパーベルト
海王星の軌道の外の、小さな氷や宇宙塵が作る円盤状の地帯。太陽系が形成された際の残余物の集まりと考えられている。冥王星などはここを通過する軌道をとる

太陽の進行方向
太陽は銀河間空間を秒速230kmで周回している

2018年11月5日
太陽圏を脱出した

双子の探査機
ボイジャーの
宇宙の旅は続く

バウショック
太陽圏のヘリオポーズが星間物質をかき分けて進むとき、衝突の衝撃波が生ずると考えられている

ボイジャー2号
1977年8月20日に打ち上げられた。木星と土星を観測し、天王星、海王星の撮影に成功。ボイジャー1号と双子のこの探査機も、2018年11月に太陽圏を脱出した。現在は時速55,000kmの速度で射手座の方向へ飛行している

地球からのメッセージを乗せ
ボイジャーは**銀河系**をゆく

🚀 太陽系の先を目指すボイジャー

NASAの双子の惑星探査機「ボイジャー1号・2号」は、打ち上げから40年以上経ったいまも、広大な宇宙を旅しながら、地上に観測データを送り続けています。

NASAのホームページには、ボイジャーがいま地球や太陽からどれだけ離れた地点にいるかが刻々と表示されています。2021年8月の時点で、1号は太陽から約154au（約230億km）、2号は約128au（約190億km）離れたところを飛行しています。

両機とも、2025年頃には搭載する原子力電池の寿命が尽き、観測データは送られ

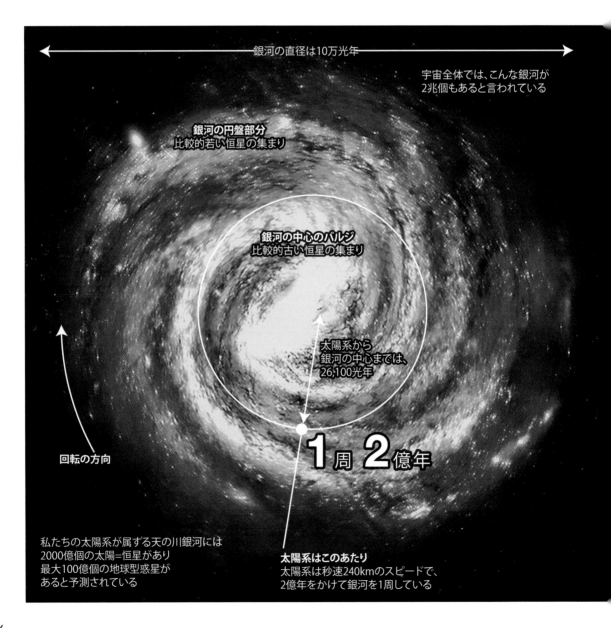

銀河の直径は10万光年

宇宙全体では、こんな銀河が
2兆個もあると言われている

銀河の円盤部分
比較的若い恒星の集まり

銀河の中心のバルジ
比較的古い恒星の集まり

太陽系から
銀河の中心までは、
26,100光年

回転の方向

1周 2億年

私たちの太陽系が属する天の川銀河には
2000億個の太陽＝恒星があり
最大100億個の地球型惑星が
あると予測されている

太陽系はこのあたり
太陽系は秒速240kmのスピードで、
2億年をかけて銀河を1周している

てこなくなりますが、本体は太陽系を超えてなお飛び続ける予定です。

銀河系に知的生命体を探して

　宇宙には、幾多(いくた)の星が集まる「銀河(ぎんが)」が無数に存在します。そのうちのひとつが、「銀河系」または「天の川銀河(あまのがわぎんが)」と呼ばれるもので、私たちが住む太陽系は、この銀河系の端に位置しています。

　銀河系だけでも、太陽と同じような恒星(こうせい)が、約2000億個あるとされ、その周りを

いくつもの惑星が回っていると考えられています。こうした太陽系外惑星のなかには、もしかしたら地球と同じように生命が存在する星があるかもしれません。

　実は、ボイジャーには、観測のほかにもうひとつの役割が託(たく)されています。それは、地球外知的生命体(ちてきせいめいたい)に発見されたとき、地球人の存在を知らせることです。そのため2機のボイジャーには、金色のレコード盤(ばん)が搭載され、そこには地球上の様々な音や各国語の挨拶(あいさつ)の言葉などが収められています。

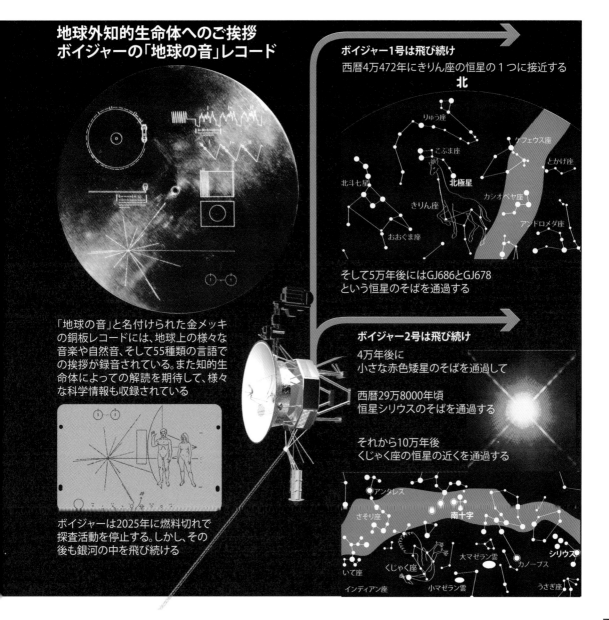

**地球外知的生命体へのご挨拶
ボイジャーの「地球の音」レコード**

「地球の音」と名付けられた金メッキの銅板レコードには、地球上の様々な音楽や自然音、そして55種類の言語での挨拶が録音されている。また知的生命体によっての解読を期待して、様々な科学情報も収録されている

ボイジャーは2025年に燃料切れで探査活動を停止する。しかし、その後も銀河の中を飛び続ける

ボイジャー1号は飛び続け
西暦4万472年にきりん座の恒星の1つに接近する

北

りゅう座
こぶま座
ケフェウス座
とかげ座
北斗七星
北極星
きりん座
カシオペヤ座
アンドロメダ座
おおぐま座

そして5万年後にはGJ686とGJ678という恒星のそばを通過する

ボイジャー2号は飛び続け

4万年後に
小さな赤色矮星のそばを通過して

西暦29万8000年頃
恒星シリウスのそばを通過する

それから10万年後
くじゃく座の恒星の近くを通過する

アンタレス
さそり座
南十字
シリウス
大マゼラン雲
カノープス
いて座
くじゃく座
小マゼラン雲
インディアン座
うさぎ座

Part 5

ボイジャー君 宇宙の謎への飛行 ①

銀河系を飛び出すと そこは謎だらけの宇宙

天の川銀河を飛び出して銀河団へ

太陽系を飛び出して、いまもボイジャー君は銀河を飛び続けています。ボイジャー君のこれからの旅を想像しながら、私たちも広大な宇宙を旅してみましょう。

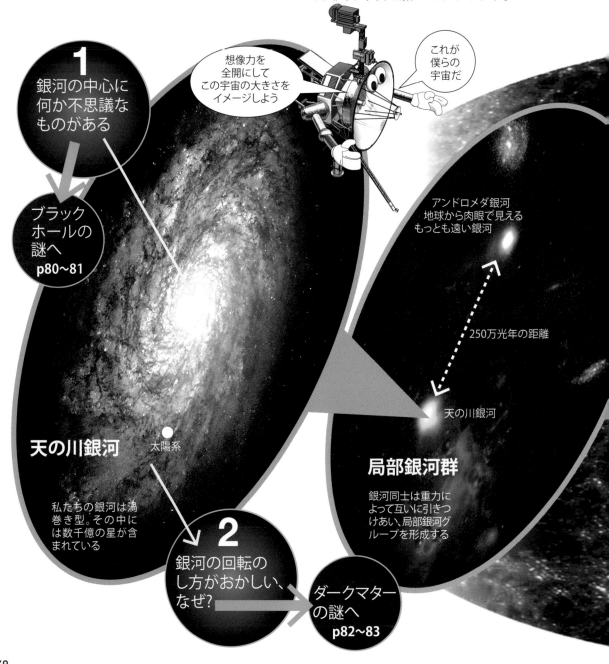

1
銀河の中心に何か不思議なものがある

想像力を全開にしてこの宇宙の大きさをイメージしよう

これが僕らの宇宙だ

ブラックホールの謎へ
p80~81

アンドロメダ銀河
地球から肉眼で見えるもっとも遠い銀河

250万光年の距離

天の川銀河

天の川銀河

太陽系

私たちの銀河は渦巻き型。その中には数千億の星が含まれている

局部銀河群

銀河同士は重力によって互いに引きつけあい、局部銀河グループを形成する

2
銀河の回転のし方がおかしい、なぜ?

ダークマターの謎へ
p82~83

天の川銀河を抜けた先に見えるのは、天の川銀河と同じように、無数の星々が集まる別の銀河の群れ。これら天の川銀河の仲間達を「局部銀河群」といいます。そのうち最も大きい銀河は、250万光年先にあるアンドロメダ銀河です。

ボイジャー君は、さらに飛び続けます。見たいものは、もっと先にあるからです。

局部銀河群から飛び出すと、さらに広大な星々の輝きの真ん中にいます。星のように見えたものひとつひとつが、ボイジャー君が抜けてきた銀河群。この銀河群の集まりは「銀河団」と呼ばれています。

もっと先へ、銀河団のもっと先へと飛び続けるボイジャー君。突然スポッと抜けたような気がしました。

ボイジャー君の眼下に宇宙がありました。銀河団が網の目状に連なり、どこまでも続く、謎に満ちた私たちの宇宙です。ボイジャー君と、その謎を探っていきましょう。

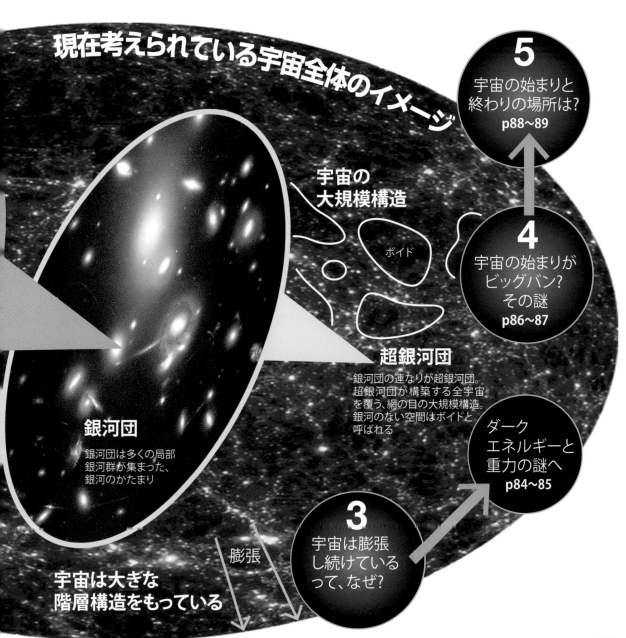

現在考えられている宇宙全体のイメージ

宇宙の大規模構造

ボイド

超銀河団
銀河団の連なりが超銀河団。超銀河団が構築する全宇宙を覆う、網の目の大規模構造。銀河のない空間はボイドと呼ばれる

銀河団
銀河団は多くの局部銀河群が集まった、銀河のかたまり

膨張

宇宙は大きな階層構造をもっている

5
宇宙の始まりと終わりの場所は?
p88〜89

4
宇宙の始まりがビッグバン?その謎
p86〜87

ダークエネルギーと重力の謎へ
p84〜85

3
宇宙は膨張し続けているって、なぜ?

なぜ銀河の中心にブラックホールが?
それは次なる大きな謎だ

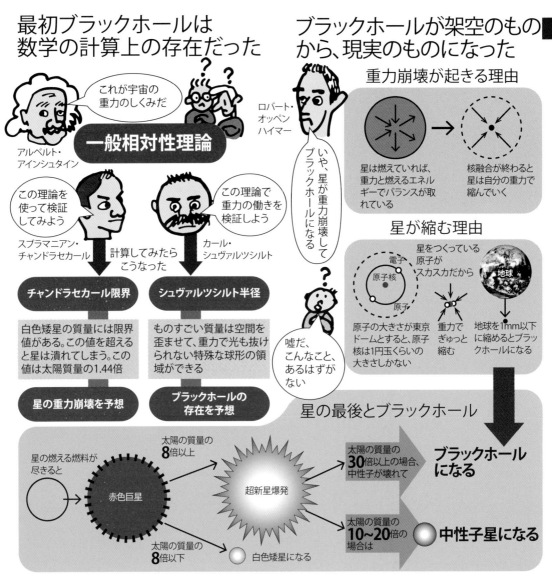

最初ブラックホールは数学の計算上の存在だった

これが宇宙の重力のしくみだ

アルベルト・アインシュタイン

一般相対性理論

この理論を使って検証してみよう

スブラマニアン・チャンドラセカール

この理論で重力の働きを検証しよう

カール・シュヴァルツシルト

計算してみたらこうなった

チャンドラセカール限界

白色矮星の質量には限界値がある。この値を超えると星は潰れてしまう。この値は太陽質量の1.44倍

星の重力崩壊を予想

シュヴァルツシルト半径

ものすごい質量は空間を歪ませて、重力で光も抜けられない特殊な球形の領域ができる

ブラックホールの存在を予想

ブラックホールが架空のものから、現実のものになった

ロバート・オッペンハイマー

いや、星が重力崩壊してブラックホールになる

重力崩壊が起きる理由

星は燃えていれば、重力と燃えるエネルギーでバランスが取れている

核融合が終わると星は自分の重力で縮んでいく

星が縮む理由

星をつくっている原子がスカスカだから

電子
原子核
原子

原子の大きさが東京ドームとすると、原子核は1円玉くらいの大きさしかない

重力でぎゅっと縮む

地球

地球を1mm以下に縮めるとブラックホールになる

嘘だ、こんなこと、あるはずがない

星の最後とブラックホール

星の燃える燃料が尽きると

太陽の質量の**8倍以上**

赤色巨星

超新星爆発

太陽の質量の**8倍以下**

白色矮星になる

太陽の質量の**30倍以上**の場合、中性子が壊れて

ブラックホールになる

太陽の質量の**10~20倍**の場合は

中性子星になる

🚀 強い重力をもつ謎の黒い穴

　長い間、宇宙に関心をもつ人々にとって一番の謎は、「ブラックホールは実在するか?」というものでした。ブラックホールとは、重力が大きすぎて、超高速の光さえ抜け出せない天体のこと。その存在をめぐり、研究者の間で激論が交わされてきました。

　突破口となったのは、物理学者アインシュタインが、宇宙に働く重力について、「一般相対性理論」という革新的な理論を発表したことでした。その理論を多くの研究者が、様々な条件で検証しましたが、そのうち2人の研究者の計算結果が物議を醸します。インドの研究者チャンドラセカールは、ある一定程度以上の質量をもつ星は、最後

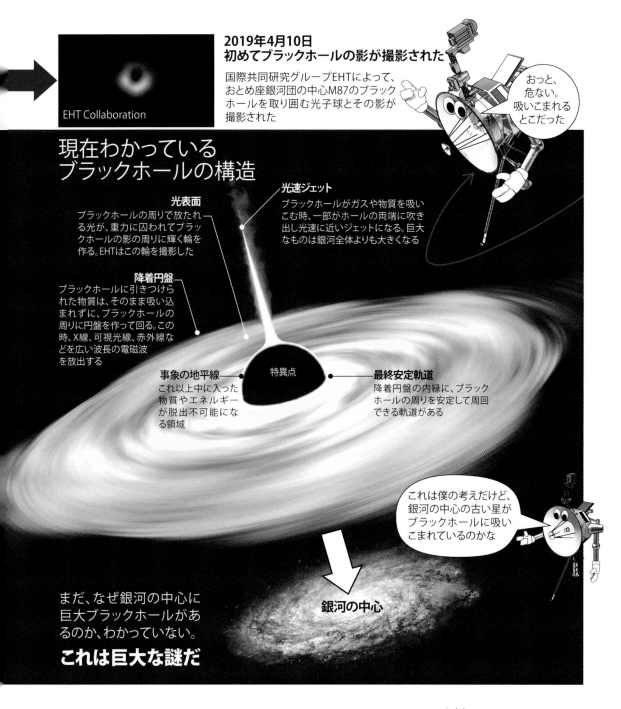

2019年4月10日
初めてブラックホールの影が撮影された
国際共同研究グループEHTによって、おとめ座銀河団の中心M87のブラックホールを取り囲む光子球とその影が撮影された

EHT Collaboration

に自分の重力で消滅すると言い、ドイツの研究者シュヴァルツシルトは、最後は光さえ脱出できない特殊な領域になると唱えました。数学の計算によってブラックホールが予言されたのです。当然、研究者たちの激しい批判にさらされます。

2人に助け舟を出したのは、後に原子爆弾を開発した物理学者オッペンハイマーで

した。彼は新しい量子物理学の理論で、ブラックホールの可能性を示唆しました。

以来、研究者たちは、ブラックホールの存在を確認する様々な試みを続け、2019年に国際共同研究グループ「イベントホライズンテレスコープ（EHT）」が、ブラックホールの直接撮影に成功。謎の黒い穴が、数学的存在から物理的存在になった瞬間です。

宇宙は未知の物質で満ちている
ダークマターもそのひとつ

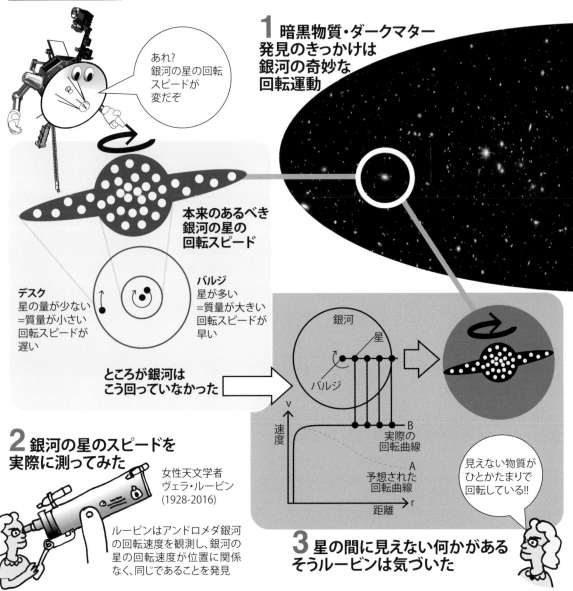

1 暗黒物質・ダークマター
発見のきっかけは
銀河の奇妙な
回転運動

あれ?
銀河の星の回転
スピードが
変だぞ

本来のあるべき
銀河の星の
回転スピード

デスク
星の量が少ない
=質量が小さい
回転スピードが
遅い

バルジ
星が多い
=質量が大きい
回転スピードが
早い

ところが銀河は
こう回っていなかった

銀河

星

バルジ

速度 v

B
実際の
回転曲線

A
予想された
回転曲線

距離 r

見えない物質が
ひとかたまりで
回転している!!

2 銀河の星のスピードを
実際に測ってみた

女性天文学者
ヴェラ・ルービン
(1928-2016)

ルービンはアンドロメダ銀河
の回転速度を観測し、銀河の
星の回転速度が位置に関係
なく、同じであることを発見

3 星の間に見えない何かがある
そうルービンは気づいた

🚀 目に見えない暗黒物質が存在

　1980年代までの天文学者たちは、幸せな
時代を生きたともいえます。現在の天文学者
たちを悩ます「宇宙は何でできているか」と
いう問題で悩む必要がなかったからです。地
球上の生物から星まで、宇宙のすべては、こ
れまでの物理学が発見した素粒子によって

つくられている、と考えられていました。
　そんな天文学に不穏な兆しがさしたの
は、1人の女性天文学者ヴェラ・ルービンの
観測からでした。彼女はアンドロメダ銀河の
中の星々の回転運動を観測していて、奇妙
なことに気づきます。本来なら銀河の中の
位置によって回転速度が違うはずなのに、
どの星も同じ速度で回転しているのです。

Part 5
ボイジャー君
宇宙の謎への飛行
③

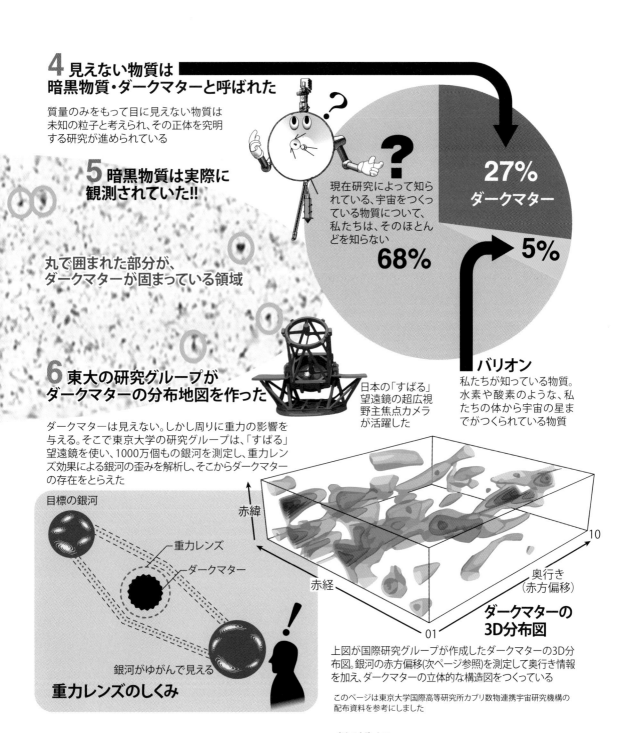

4 見えない物質は暗黒物質・ダークマターと呼ばれた

質量のみをもって目に見えない物質は未知の粒子と考えられ、その正体を究明する研究が進められている

5 暗黒物質は実際に観測されていた!!

丸で囲まれた部分が、ダークマターが固まっている領域

現在研究によって知られている、宇宙をつくっている物質について、私たちは、そのほとんどを知らない **68%**

27% ダークマター

5%

バリオン
私たちが知っている物質。水素や酸素のような、私たちの体から宇宙の星までがつくられている物質

6 東大の研究グループがダークマターの分布地図を作った

ダークマターは見えない。しかし周りに重力の影響を与える。そこで東京大学の研究グループは、「すばる」望遠鏡を使い、1000万個もの銀河を測定し、重力レンズ効果による銀河の歪みを解析し、そこからダークマターの存在をとらえた

日本の「すばる」望遠鏡の超広視野主焦点カメラが活躍した

目標の銀河
重力レンズ
ダークマター
銀河がゆがんで見える
重力レンズのしくみ

赤緯
赤経
奥行き（赤方偏移）
10
01
ダークマターの3D分布図

上図が国際研究グループが作成したダークマターの3D分布図。銀河の赤方偏移（次ページ参照）を測定して奥行き情報を加え、ダークマターの立体的な構造図をつくっている

このページは東京大学国際高等研究所カブリ数物連携宇宙研究機構の配布資料を参考にしました

　この現象に対してルービンは、星々は別々に回転しているのではなく、銀河全体が目に見えない何かに包みこまれて回転しているのだと考えました。この観察結果は、次にもっとやっかいな問題を生み出します。では、その見えない物質とは何なのか。この目に見えず、電磁波も出さず、質量だけをもつ謎の物質は、「ダークマター（暗黒物質）」と呼ばれ、宇宙研究のメインテーマに躍り出ます。

　2018年には、東京大学の研究グループが、日本の「すばる」望遠鏡を活用してダークマターの存在をとらえ、そのマップ化に成功しました。観測技術の飛躍的な高度化と、世界中の研究者の努力が、暗黒物質の正体を解き明かす日も近いといわれています。

宇宙の膨張を加速する未知のダークエネルギー

※ハッブルが実際に使用したのは、ウィルソン山天文台の100インチフッカー望遠鏡

エドウィン・ハッブル (1889-1953)
アメリカの天文学者。カーネギー研究所のウィルソン山天文台で研究を続ける。1924年に、銀河系外にも銀河の存在を発見。1929年には、他の銀河が相対的に我々の銀河から離れていっていることを、銀河の赤方偏移で発見し、宇宙膨張論の端緒をつくった

アインシュタインは定常宇宙論を支持していた

でも、宇宙の膨張には確証があった

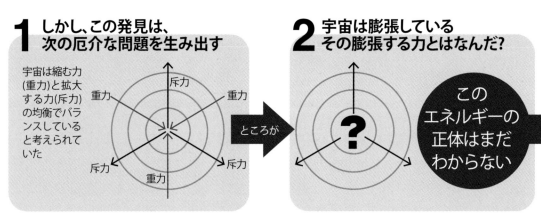

1 しかし、この発見は、次の厄介な問題を生み出す

宇宙は縮む力（重力）と拡大する力（斥力）の均衡でバランスしていると考えられていた

（図：斥力・重力）

ところが

2 宇宙は膨張しているその膨張する力とはなんだ?

?

このエネルギーの正体はまだわからない

🚀 宇宙は膨張し続けている

1929年にアメリカの天文学者ハッブルが、様々な銀河の動きから宇宙膨張の証拠を発表するまで、宇宙は静止した空間で変化しないという「定常宇宙論」が長く天文学者に支持されていました。アインシュタインもその提唱者の1人でした。

ハッブルはウィルソン山天文台の2.5m望遠鏡を駆使して、銀河の光を分光観測し、その光のスペクトルが遠くの銀河ほど「赤方偏移」していることを突き止めました。つまり、遠くの銀河ほど、早いスピードで遠ざかっているのです。

宇宙に働く力の中で、物を引きつけあう力＝重力は宇宙を縮める働きをします。宇

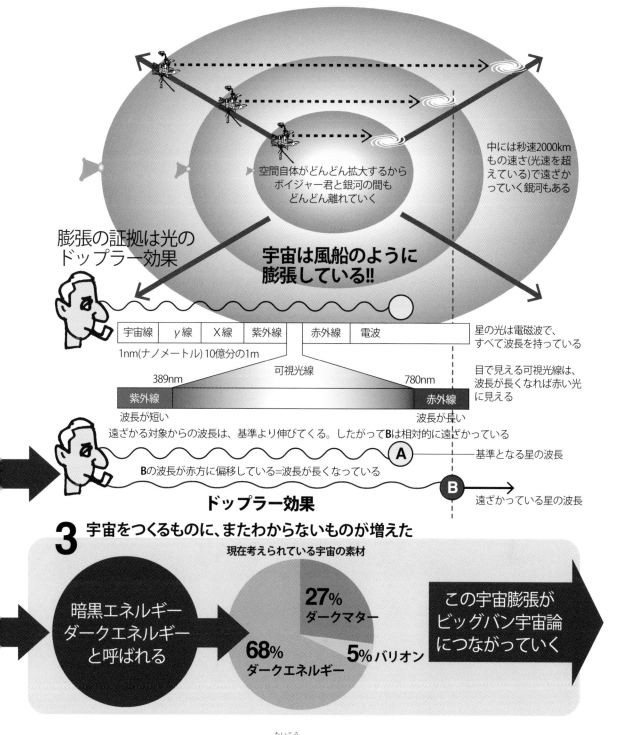

空間自体がどんどん拡大するから
ボイジャー君と銀河の間も
どんどん離れていく

中には秒速2000km
もの速さ(光速を超
えている)で遠ざか
っていく銀河もある

膨張の証拠は光のドップラー効果

宇宙は風船のように膨張している!!

宇宙線	γ線	X線	紫外線		赤外線	電波

星の光は電磁波で、すべて波長を持っている

1nm(ナノメートル)10億分の1m

可視光線

389nm　　　　　　　　　　　　　　　780nm

目で見える可視光線は、波長が長くなれば赤い光に見える

紫外線		赤外線

波長が短い　　　　　　　　　　　　　　波長が長い

遠ざかる対象からの波長は、基準より伸びてくる。したがってBは相対的に遠ざかっている

(A)　　　　——　基準となる星の波長

Bの波長が赤方に偏移している=波長が長くなっている

(B)　　　　→　遠ざかっている星の波長

ドップラー効果

3 宇宙をつくるものに、またわからないものが増えた

現在考えられている宇宙の素材

暗黒エネルギー
ダークエネルギー
と呼ばれる

27% ダークマター
68% ダークエネルギー
5% バリオン

この宇宙膨張が
ビッグバン宇宙論
につながっていく

宙が縮小せずにいるのは、この重力に対抗する力=斥力が働き、バランスをとっているから。これが定常宇宙論の考え方です。

ところが後に、この膨張は加速し続けていることもわかりました。一体この膨大な膨張エネルギーとは何なのか。しかもこのエネルギーの存在が見つからない。研究者たちは、新たな難問を抱えこんだのです。

アインシュタインはウィルソン山天文台にハッブルを訪ねて、膨張宇宙の観測事実を確認したとき、自らの間違いを恥じたと伝えられています。アインシュタインをしても、このエネルギーの正体は謎でした。「ダークエネルギー」と名づけられこの謎の存在の正体を突き止めたとき、人類の宇宙観は、再び変革に見舞われるでしょう。

宇宙から降り注ぐマイクロ波が
宇宙の誕生ビッグバンを証明した

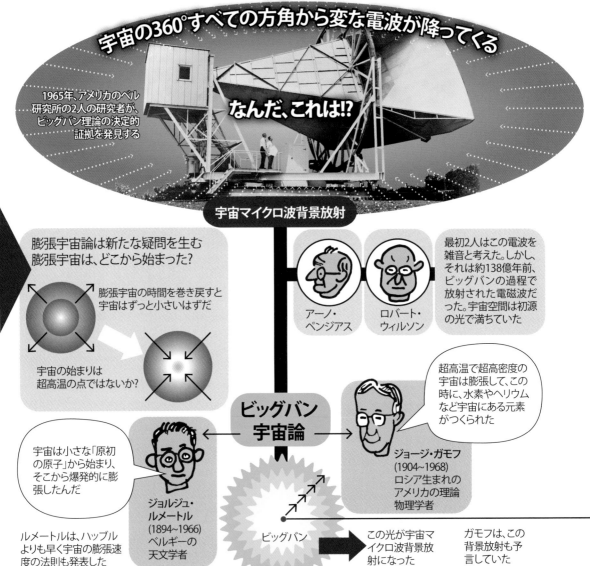

宇宙の360°すべての方角から変な電波が降ってくる

1965年、アメリカのベル研究所の2人の研究者が、ビッグバン理論の決定的証拠を発見する

なんだ、これは!?

宇宙マイクロ波背景放射

膨張宇宙論は新たな疑問を生む
膨張宇宙は、どこから始まった?

膨張宇宙の時間を巻き戻すと
宇宙はずっと小さいはずだ

宇宙の始まりは
超高温の点ではないか?

アーノ・ペンジアス

ロバート・ウィルソン

最初2人はこの電波を雑音と考えた。しかし、それは約138億年前、ビッグバンの過程で放射された電磁波だった。宇宙空間は初源の光で満ちていた

ビッグバン
宇宙論

超高温で超高密度の宇宙は膨張して、この時に、水素やヘリウムなど宇宙にある元素がつくられた

宇宙は小さな「原初の原子」から始まり、そこから爆発的に膨張したんだ

ジョルジュ・ルメートル
(1894~1966)
ベルギーの
天文学者

ジョージ・ガモフ
(1904~1968)
ロシア生まれの
アメリカの理論
物理学者

ルメートルは、ハッブルよりも早く宇宙の膨張速度の法則も発表した

ビッグバン

この光が宇宙マイクロ波背景放射になった

ガモフは、この背景放射も予言していた

🚀 宇宙の始まりは大爆発から

　宇宙が時間とともに膨張している。そう気づいた研究者たちは、こう考えました。時間を戻せば、宇宙はどんどん小さくなるはずだ。そして宇宙は、この小さな原始的原子（特異点）の爆発から始まった、と。

　1931年にベルギーの若い天文学者ル

メートルによって唱えられたこの宇宙起源論は、当時の学会で激しい批判にさらされ、「ビッグバン（大爆発）理論」と揶揄されました。アインシュタインも、これを認めませんでした。

　この「ビッグバン理論」を支持したのが理論物理学者のガモフでした。1948年、彼は宇宙の核反応理論から「火の玉宇宙」

ビッグバンから膨張してきた宇宙

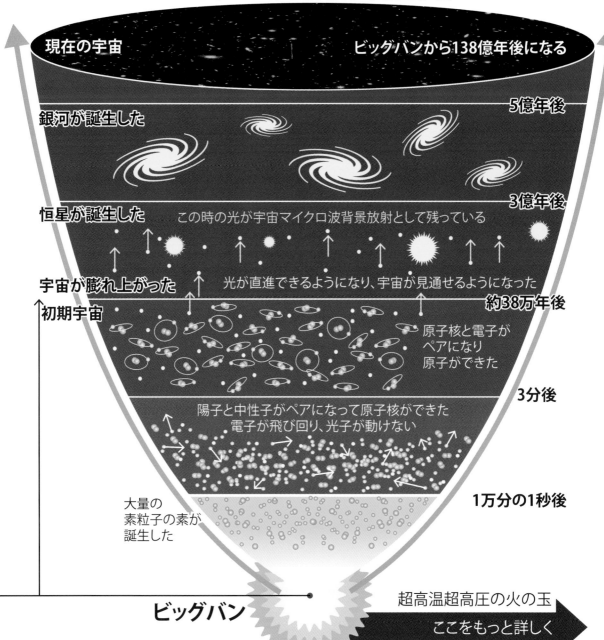

現在の宇宙　　　　　　　　ビッグバンから138億年後になる

5億年後

銀河が誕生した

3億年後

恒星が誕生した　この時の光が宇宙マイクロ波背景放射として残っている

宇宙が膨れ上がった　光が直進できるようになり、宇宙が見通せるようになった

約38万年後

初期宇宙

原子核と電子が
ペアになり
原子ができた

3分後

陽子と中性子がペアになって原子核ができた
電子が飛び回り、光子が動けない

1万分の1秒後

大量の
素粒子の素が
誕生した

ビッグバン

超高温超高圧の火の玉
ここをもっと詳しく

のアイデアを発表し、その証拠として、宇宙には爆発当時の熱が放射され、現在も残っているはずだと主張しました。この「火の玉」宇宙論も多くの批判を浴びます。

ところが、その証拠が思いもしなかったところからやってきました。1965年、人工衛星との交信用アンテナの実験をしていた2人の研究者が、宇宙のあらゆる方角から放射されるマイクロ波をとらえます。この正体不明の電波に悩んだ2人がガモフの理論を知り、これこそが「ビッグバン理論」の証拠、最初に全宇宙に広がった光の反射だと気づくのです。「ビッグバン理論」はこのときから、宇宙起源の正統理論となり、上の図のように、その全体を説明できるまでに進化し続けています。

宇宙は無の空間から泡のように次々誕生した!?

いくつもの宇宙が存在する
マルチバース宇宙

この空間では、
次々と同じように、
新しい宇宙が
誕生している

私たちの
宇宙に
成長した

何もない
空間の
一点が

ポツンと
膨らんで

一気に
白く膨
らんで

火球が
生まれた

火球の爆発が
ビッグバン

こうして
生まれた宇宙が
一気に膨張して

インフレーション
と呼ばれる

10⁻³⁶秒～　　10⁻³⁴秒

の間に起こる

🚀宇宙の始まりは「無」

ボイジャー君は、空っぽの不思議な空間にいます。ずっとボイジャー君が目指していた場所、私たちの宇宙が誕生した場所です。ボイシャー君はここで、宇宙の誕生を見ようとしています。

目の前の空間を見つめていると、ポツン

と粒が現れました。まるで水中に極微の泡粒が出現したみたいです。この泡粒は一瞬で白い球になり、次の瞬間には真っ赤な火球となって、一気に爆発するように膨張し続けます。気づくとボイジャー君もこの膨張する泡の中にいます。このあとにこの超高熱の空間で起こったことは、前ページですでに見た私たちの宇宙の変遷です。

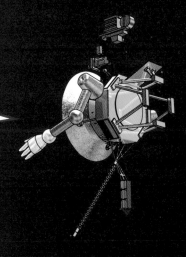

僕がいる、
宇宙の外
ここは、いったい
どこだろう?

そして、
ボイジャー君は
いま、宇宙最大の
謎の中にいる

ここまで、最新の宇宙研究の成果を素に、いまある宇宙の謎を極めて簡単にたどってきました。ここに示されているのは、膨大な宇宙研究の、ほんのひとかけらです。もしあなたが、これまでのボイジャー君の謎の旅に関心をもたれたら、ぜひ、もっと詳しい本や、ホームページを頼りに、ここからの宇宙の飛行を続けてください。

ボイジャー君は、いま一度宇宙の泡から飛び出して、宇宙が出現した空間に目をこらしました。追い求めていた宇宙の謎がここにあります。何もない空間からウイルスのように小さな空間が生まれ、それが銀河の大きさにまで膨張しています。この現象は、現在の宇宙科学では「インフレーション」と呼ばれるものです。科学者たちは宇宙の生まれる空間では、常にいくつものインフレーションが起こり、新しい宇宙が誕生している可能性があるといいます。私たちの宇宙もこうして生まれ、様々な初期の設定条件によって、生命が誕生したのだと。

ボイジャー君は、いま宇宙最大の謎の中にいます。宇宙を生み出す、この空間とは何だろう?

おわりに
人類と地球の未来のために
私たちは宇宙から学び続ける

　ボイジャー君の宇宙の旅は、人類が抱える究極の謎の中で終わりました。本書の巻頭で、いま宇宙に関わることの意義を問いましたが、ここまで一緒に宇宙を旅してきた皆さんは、その答えを見つけたでしょうか。

　本書を閉じる前に、ボイジャー君からあなたに2つメッセージがあります。

　1つ目は、私たちが宇宙に関わる意義についてです。人類は宇宙空間で生存するために、完全に閉鎖された空間内で循環する生命維持装置をつくりあげようとしています。薄い皮膜の宇宙服の中も、巨大なドーム都市空間も、目指す機能は同じです。求められているのは、限られた資源を有効に使い、廃棄物を限りなくゼロにして、持続可能な生態系をつくること。

　そう、宇宙空間で生存するための科学技術こそ、いま私たちの地球が必要としているものです。そもそも地球は、苛烈な宇宙空間にあって、生命が生存できる持続可能な生態系をもつ稀有な惑星です。その繊細な生態系を、私たちは破壊しつつあります。人類が宇宙に進出して得るものがあるとすれば、それは、地球が抱える問題を解決することに役立つものでなければならないでしょう。

　そして2つ目は、自らの生態系を破壊しつつある人間への、宇宙からの諫めです。ボイジャー君と銀河を飛び越し、宇宙の全貌を目にした私たちは、人類の科学で理解する宇宙が、どれほどちっぽけなものかも知りました。宇宙をつくっている物質のうちの5％しか、現在の科学は解明していません。つまり、私たちは、自らが属する宇宙について、まだほとんど知り得ていないのです。

　その宇宙に、私たち人類は巨大ロケットで進出しようとしています。ロケットをつくった技術と発想、そしてこの事業を推し進める経済的な野心と欲望は、実は、温暖化を招き、地球を痛めつけてしまったものと同じものであることを、私たちは謙虚に受け止めるべきでしょう。

　私たちがまだ知らない、残り95％の宇宙の謎に迫り、その知を人類が獲得したとき、いまある知識も、科学も、そして経済や政治のシステムも、大きく変貌することでしょう。

　そのためにこそ人類は宇宙へ行く。ボイジャー君は、私たちにそう告げています。

参考文献

『エレガントな宇宙　超ひも理論がすべてを解明する』（ブライアン・グリーン著、草思社刊）

『ホーキング、宇宙を語る』（スティーブ・ホーキング著、早川書房刊）

『ニュートリノ天体物理学入門』（小柴昌俊著、講談社刊）

『中国が宇宙を支配する日　宇宙安保の現代史』（青木節子著、新潮社刊）

『アインシュタイン VS ニュートン　曲がった時空を巡って』（ハラルド・フリッチュ著、丸善刊）

『138 億年の宇宙の旅上・下』（クリストフ・ガルファール著、早川書房刊）

『人類はふたたび月を目指す』（春山純一著、光文社刊）

『月はすごい　資源・開発・移住』（佐伯和人著、中央公論新社刊）

『はやぶさ 2 最強ミッションの真実』（津田雄一著、NHK 出版刊）

『「量子論」を楽しむ本』（佐藤勝彦著、PHP 刊）

『インフレーション宇宙論 ビッグバンの前に何が起こったのか』（佐藤勝彦著、講談社刊）

『宇宙−果てのない探索の歴史 (歴史を変えた 100 の大発見)』（トム・ジャクソン著、丸善出版刊）

『ファイマンさんの流儀　量子世界を生きた天才物理学者』（ローレンス・M・クラウス著、早川書房刊）

『スペース・コロニー　宇宙で暮らす方法』（向井千秋監修・著、講談社刊）

『宇宙のダークエネルギー「未知なる力」の謎を解く』（土居守・松原隆彦著、光文社刊）

『すごい宇宙講義』（多田将著、イースト・プレス刊）

『太陽系観光旅行読本』（オリヴィア・コスキー & ジェイナ・グルセヴィッチ著、原書房刊）

『時間は存在しない』（カルロ・ロヴェッリ著、NHK 出版刊）

『宇宙開発の未来年表』（寺門和夫著、イースト・プレス刊）

『人類が火星に移住する日』（矢沢サイエンスオフィス + 竹内薫著、技術評論社刊）

『MARS マーズ　火星移住計画』（レオナード・デイヴィット著、日経ナショナルジオグラフィック社刊）

『図説　一冊でわかる! 最新宇宙論』（縣秀彦著、学研プラス刊）

『宇宙プロジェクト開発史大全』（梛出版刊）

『これからはじまる宇宙プロジェクト』（梛出版刊）

『宇宙の真実　地図でたどる時空の旅』（日経ナショナルジオグラフィック社刊）

『VISUAL BOOK OF THE UNIVERSE 宇宙大図鑑』（ニュートンプレス刊）

『アンドロメダ銀河のうずまき　銀河の形にみる宇宙の進化』（谷口義明著、丸善出版刊）

『世界で一番美しい深宇宙図解　太陽系から宇宙の果てまで』（ホヴァート・スヒリング著、創元社刊）

『ビジュアル大図鑑宇宙探査の歴史』（ロジャー・D・ローニアス著、東京堂出版刊）

『宇宙は何でできているのか　素粒子物理学で解く宇宙の謎』（村山斉著、幻冬舎刊）

『真空とはなんだろう　無限に豊かなその素顔』（広瀬立成著、講談社刊）

参考サイト

NASA ● https://www.nasa.gov
JAXA ● https://www.jaxa.jp
Roscosmos ● https://www.roscosmos.ru
CNSA ● http://www.cnsa.gov.cn/english/
ESA ● https://www.esa.int
ISRO ● https://www.isro.gov.in
UAE Space Agency ● https://www.space.gov.ae
Lockheed Martin ● https://www.lockheedmartin.com
Boeing ● https://www.boeing.com
Space X ● https://www.spacex.com
Virgin Galactic ● https://www.virgingalactic.com
Virgin Orbit ● https://virginorbit.com
Blue Origin https://www.blueorigin.com
Stratolaunch ● https://www.stratolaunch.com
CASC ● http://english.spacechina.com/n16421/index.html
Airbus ● https://www.airbus.com/space.html
Arianespace ● https://www.arianespace.com
Rocket Lab ● https://www.rocketlabusa.com
One Space ● http://www.onespacechina.com/en
ispace ● https://ispace-inc.com/jpn/
iSpace ● http://www.i-space.com.cn
Space.com ● https://www.space.com
宙畑 ● https://sorabatake.jp
Forbes JAPAN ● https://forbesjapan.com
Space News ● https://spacenews.com
Landspace ● http://www.landspace.com/rocket/
Interstellar Technologies ● http://www.istellartech.com

三菱重工 ● https://www.mhi.com/jp/
IHI ● https://www.ihi.co.jp/
York Space Systems ● https://www.yorkspacesystems.com
SSTL ● https://www.sstl.co.uk
GomSpace ● https://gomspace.com/home.aspx
Axiom Space ● https://www.axiomspace.com
Bigelow Aerospace ● https://www.bigelowaerospace.com/
IBM ● https://www.ibm.com/
一般社団法人宇宙エレベーター協会 ● http://www.jsea.jp/index.html
季刊大林「宇宙エレベーター建設構想」● https://www.obayashi.co.jp/kikan_obayashi/detail/kikan_53_idea.html
TechCrunch Japan ● https://jp.techcrunch.com/contributor/devinjp/
HATCH ● https://shizen-hatch.net
AFP BB News ● https://www.afpbb.com/
Business Insider Japan ● https://www.businessinsider.jp/
sorae ● https://sorae.info
日経ビジネス ● https://business.nikkei.com/
GIZMODO ● https://www.gizmodo.jp/
News Week Japan ● https://www.newsweekjapan.jp
CNN ● https://www.cnn.co.jp
Reuters ● https://jp.reuters.com/
WIRED ● https://wired.jp
MIT Technology Review ● https://www.technologyreview.jp
TOKYO EXPRESS ● http://tokyoexpress.info
国立天文台 ● https://www.nao.ac.jp/index.html

索 引

あ

アイスペース………… 12〜13、21、42〜43
アインシュタイン（アルベルト）… 80、84〜85
あかつき…………………………………65
アクシオム・スペース……… 11、13、16、21、
34〜35
アクセルスペース………………… 9、21
アストロスケール………………… 9、21
アトラスV …………………………30
アポロ計画…………………… 12、38〜39
アマル（ホープ）………………… 8、55
アリアン5 …………………… 11、30
アルテミス計画…… 12〜13、14、16〜17、35、
40〜41、46〜47、50〜51、56〜57、58〜59
アンドロメダ銀河………………… 9、82
イオ ………………………………68〜69
ESA（イーサ：欧州宇宙機関）…… 11、12〜13、
14〜15、16〜17、18〜19、20、34、45、
49、60、65
ISRO（イスロ：インド宇宙研究機関）6〜7、20
一般相対性理論……………………80
インジェニュイティ ………… 8〜9、55
インスピレーション4 ………………11
インターステラテクノロジズ………10、21
インフレーション………………88〜89
ヴァージン・オービット ……… 8〜9、21
ヴァージン・ギャラクティック … 8〜9、10〜11、
21、26
ヴェネラ計画………………………65
宇宙移民……………………………19
宇宙エレベーター…………………18
宇宙ホテル………………… 16、21、36
宇宙メダカ…………………………37
宇宙旅行…………………………18〜19
H3 ………………… 11、12、28〜29
エウロパ………………… 11、12、68〜69
エウロパ・クリッパー ………………12
MMX ………………… 13、14〜15
エルサd ……………………………9
大林組…………………… 18〜19、21
オービタル・アッセンブリ………21、36
オリオン（宇宙船）………………46〜47

か

海王星………………………………73
カイパーベルト…………… 73、74〜75
ガガーリン（ユーリ）…………24、38
核融合反応………………………62〜63
火星………………………………54〜59
火星移民…………………………58〜59

火星探査…………… 7、8〜9、10、12〜13、
14〜15、16〜17、54〜57
火星都市…………………………19
カッシーニ（ジャン＝ドミニク）………70
カッシーニ（探査機）………… 70〜71
カッシーニの間隙………………70〜71
ガニメデ………………… 11、68〜69
カーマン・ライン…………………24
ガモフ（ジョージ）………………86
カリスト………………… 11、68〜69
ガリレイ（ガリレオ）………………68
ガリレオ（探査機）…………… 65、68
玉兎2号……………………………6
局部銀河群………………………78〜79
銀河系（天の川銀河）…… 76〜77、78〜79
銀河団……………………………79
金星………………………………65〜67
CNES（クネス：フランス国立宇宙研究センター）
…………………………… 13、14、20
XRISM（クリズム）………………12
GRUS（グルース）…………………9
クルードラゴン……… 7、10〜11、32〜33
クレーター………………………49、51
月面基地………………………46〜47
月面都市………………………52〜53
ゲートウェイ………… 12〜13、14〜15、
40〜41、44〜45、46〜47
国際宇宙ステーション（ISS）………… 7、16、
24〜25、32〜33、34〜35、36〜37、38

さ

サターン（ロケット）…………37、38
サブ・オービタル・フライト ………27
サンプルリターン…………………16
CNSA（中国国家航天局）……… 6〜7、8、10、20
CSA（カナダ宇宙庁）……… 11、14〜15、20
ジェイムズ・ウェッブ宇宙望遠鏡 …………11
JAXA（ジャクサ：宇宙航空研究開発機構）………
7、8、11、12〜13、14〜15、16、
20、28〜29、31、40〜41、42〜43、
45、50〜51、60〜61、65
JUICE（ジュース）………… 11、16〜17、69
シュヴァルツシルト（カール）………80
嫦娥4号……………………………6
水星………………………………64
スターシップ………… 12〜13、15、16、41、
56〜57
スターリンク………………… 6、9
すばる（望遠鏡）………………83
スペースX………… 6〜7、9、10〜11、
12〜13、15、16、19、20、30〜31、
32〜33、56〜57、59
スペースシップ2 ………………10、26

スペースシャトル‥‥‥‥‥‥‥‥‥‥‥38
スペース・ローンチ・システム ‥‥‥ 46〜47
SLIM（スリム）‥‥‥‥‥12〜13、40、42〜43
赤方偏移‥‥‥‥‥‥‥‥‥‥‥‥84〜85
ソユーズ‥‥‥‥‥‥‥‥‥‥‥‥9、30
ソーラー・オービター‥‥‥‥‥‥‥‥60

──────── た ────────

タイタン‥‥‥‥‥‥‥‥‥‥17、70〜71
ダイモン‥‥‥‥‥‥‥‥‥‥‥21、42
太陽‥‥‥‥‥‥‥‥‥‥‥‥‥60〜63
太陽系‥‥‥‥‥60、62〜63、74、76
太陽系外縁天体‥‥‥‥‥‥‥‥‥‥74
太陽圏‥‥‥‥‥‥‥‥‥‥‥‥62〜63
太陽風‥‥‥‥‥‥‥‥‥62〜63、74
ダークエネルギー‥‥‥‥‥‥‥84〜85
ダークマター‥‥‥‥‥‥‥‥‥82〜83
地球外知的生命体‥‥‥‥‥‥‥‥‥77
地球脱出速度‥‥‥‥‥‥‥‥‥‥‥27
長征5号B‥‥‥‥‥‥‥‥‥‥‥7、10
長征3号B‥‥‥‥‥‥‥‥‥‥‥‥‥6
チャンドラセカール（スブラマニアン）‥‥‥80
チャンドラヤーン2号‥‥‥‥‥‥‥6〜7
月探査‥‥‥‥‥6、12〜13、14〜15、38〜51
DLR（ドイツ航空宇宙センター）‥‥‥13、14、20
天宮‥‥‥‥‥‥‥‥10〜11、34〜35
天王星‥‥‥‥‥‥‥‥‥‥‥‥‥‥72
天問1号‥‥‥‥‥‥‥‥‥‥8、10、55
天文単位‥‥‥‥‥‥‥‥‥‥‥‥‥60
天和‥‥‥‥‥‥‥‥‥‥‥10、34〜35
土星‥‥‥‥‥‥‥‥‥‥‥‥‥70〜71
トヨタ‥‥‥‥‥‥‥‥‥‥‥15、50〜51
ドラゴンフライ‥‥‥‥‥‥‥‥‥14、17
トリトン‥‥‥‥‥‥‥‥‥‥‥‥‥73

──────── な ────────

NASA（アメリカ航空宇宙局）‥‥‥‥ 7、8〜19、
　20、30、32、34〜35、37、40、44〜45、46、
　49、55、56〜57、60、64〜65、66〜67、
　68〜69、70〜71、72、75、76
ニューシェパード‥‥‥7、8、10、26〜27、31
ニューフロンティア計画‥‥‥‥‥‥‥14
ニューホライズンズ‥‥‥‥‥‥74〜75
野口聡一‥‥‥‥‥‥‥‥‥‥‥‥‥32

──────── は ────────

パイオニア11号‥‥‥‥‥‥‥‥‥‥71
バイキング1号‥‥‥‥‥‥‥‥54〜55
パーカー・ソーラー・プローブ ‥‥‥13、60
HAKUTO-R（ハクトアール）‥‥12〜13、40、42〜43
パーサヴィアランス‥‥‥7、8〜9、16〜17、55
ハッブル（エドウィン）‥‥‥‥‥84〜85

ハッブル宇宙望遠鏡‥‥‥‥‥‥11、25
はやぶさ2‥‥‥‥‥‥‥‥‥‥‥‥7
パラテラフォーミング‥‥‥‥‥‥‥‥59
ビゲロー・エアロスペース ‥‥‥ 14〜15、21
微小重力‥‥‥‥‥‥‥‥‥32、36〜37
ビッグバン‥‥‥‥‥‥‥‥‥‥86〜87
ビーナス・エクスプレス‥‥‥‥‥‥‥65
ファルコン9‥‥‥‥‥‥‥‥‥‥31、32
フォン・ブラウン（ヴェルナー）‥‥‥‥37
ブラックホール‥‥‥‥‥‥‥‥80〜81
ブランソン（リチャード）‥‥ 8〜9、10、26〜27
ブルーオリジン‥‥‥‥6〜7、8、10〜11、20、
　　　　　　　　　　26〜27、31
ブルームーン‥‥‥‥‥‥‥‥‥‥‥6
ベゾス（ジェフ）‥‥‥‥ 6〜7、10、26〜27
ベピ・コロンボ‥‥‥‥‥‥‥‥‥‥64
ヘラクレス計画‥‥‥‥‥‥‥‥14〜15
ボイジャー1号‥‥‥ 68、75、76〜77、78〜89
ボイジャー2号‥‥‥72〜73、75、76〜77、
　　　　　　　　　　78〜89
ホイヘンス‥‥‥‥‥‥‥‥‥‥‥‥71
星出彰彦‥‥‥‥‥‥‥‥‥‥‥10、32

──────── ま ────────

マスク（イーロン）‥‥‥‥‥‥7、19、59
マーズサンプルリターン計画‥‥‥‥‥16
マーズ2020‥‥‥‥‥‥‥‥‥7、8〜9
マリナー計画‥‥‥‥‥‥‥‥‥‥‥65
マリナー10号‥‥‥‥‥‥‥‥64〜65
マリナー4号‥‥‥‥‥‥‥‥‥54〜55
みちびき‥‥‥‥‥‥‥‥‥‥‥12、25
冥王星‥‥‥‥‥‥‥‥‥‥‥‥74〜75
メッセンジャー‥‥‥‥‥‥‥‥‥‥64
木星‥‥‥‥‥‥‥‥‥‥‥‥‥68〜69
木星探査‥‥‥‥‥‥‥‥‥‥‥‥‥11
MOMO‥‥‥‥‥‥‥‥‥‥‥‥‥10

──────── や ────────

YAOKI（ヤオキ）‥‥‥‥‥‥40、42〜43
UAESA（アラブ首長国連邦宇宙機関）‥‥‥20

──────── ら ────────

ランチャーワン‥‥‥‥‥‥‥‥‥8〜9
ルナクルーザー‥‥‥‥‥‥‥‥50〜51
ルービン（ヴェラ）‥‥‥‥‥‥‥82〜83
ルメートル（ジョルジュ）‥‥‥‥‥‥86
レゴリス‥‥‥‥‥‥‥‥47、49、50、52
ロケット‥‥‥‥‥‥‥‥28〜29、30〜31
ロスコスモス‥‥‥‥‥‥‥‥‥20、44

──────── わ ────────

ワンウェブ‥‥‥‥‥‥‥‥‥‥9、21

『図解でわかる
**14歳から知る
影響と連鎖の全世界史**』
歴史はいつも「繋がり」から見えてくる。「西洋/東洋」の枠を越えて体感する「世界史」のダイナミズムをこの1冊で！　　　　　　定価(本体1200円＋税)

『図解でわかる
**14歳から知る
人類の脳科学、その現在と未来**』
21世紀のいま、「脳」の探求はどこまで進んでいるのか？　人類による脳の発見から、分析、論争、可視化、そして機械をつなげるブレイン・マシン・インターフェイスとは？　脳研究の歴史と最先端がこの1冊に！
　　　　　　定価(本体1300円＋税)

『図解でわかる
14歳からの 地政学』
シフトチェンジする旧大国、揺らぐEUと中東、そして動き出したアジアの時代。これからの世界で不可欠な「平和のための地政学的思考」の基礎から最前線までをこの1冊に！　　　　　定価(本体1500円＋税)

『図解でわかる
**14歳から知る
食べ物と人類の1万年史**』
WFP（国連世界食糧計画）が2020年ノーベル平和賞を受賞したわけは？「生きるための食べ物」はいつから「利益のための食べ物」になったのか。食べ物史1万年を追う。　　　定価(本体1500円＋税)

『図解でわかる
14歳からの脱炭素社会』
日本が2050年を目処に実現すると表明した「脱炭素社会」。温室効果ガスの排出量「実質ゼロ」を目指し、自分も、地球も、使い捨てないために、私たちができることは？　次世代の新常識を学ぶ。
　　　　　　定価(本体1500円＋税)

『図解でわかる
14歳からのLGBTQ＋』
さまざまな性のあり方を知れば、世界はもっと豊かになる。4つの身近なテーマと32の問いで、ジェンダー問題をより深く、より正しく知る
　　　　　　定価(本体1500円＋税)

※本巻のみ社会応援ネットワーク著

関連するSDGs

著 インフォビジュアル研究所

2007年より代表の大嶋賢洋を中心に、編集、デザイン、CGスタッフにより活動を開始。ビジュアル・コンテンツを制作・出版。主な作品に、『イラスト図解 イスラム世界』（日東書院本社）、『超図解 一番わかりやすいキリスト教入門』（東洋経済新報社）、「図解でわかる」シリーズ『ホモ・サピエンスの秘密』『14歳からのお金の説明書』『14歳から知っておきたいAI』『14歳からの天皇と皇室入門』『14歳から知る人類の脳科学、その現在と未来』『14歳からの地政学』『14歳からのプラスチックと環境問題』『14歳からの水と環境問題』『14歳から知る気候変動』『14歳から考える資本主義』『14歳から知る食べ物と人類の1万年史』『14歳からの脱炭素社会』（いずれも太田出版）などがある。

大嶋賢洋の図解チャンネル
YouTube
　https://www.youtube.com/channel/UCHlqlNCSUiwz985o6KbAyqw
Twitter
　@oshimazukai

企画・構成・執筆	大嶋 賢洋
	豊田 菜穂子
協力	鈴木 喜生
イラスト・図版制作	高田 寛務
イラスト	二都呂 太郎
カバーデザイン・DTP	玉地 玲子
校正	鷗来堂

図解でわかる
14歳からの 宇宙活動計画

2021年11月6日 初版第1刷発行

著者　インフォビジュアル研究所

発行人　岡 聡
発行所　株式会社太田出版
〒160-8571 東京都新宿区愛住町 22 第三山田ビル 4 階
Tel.03-3359-6262　Fax.03-3359-0040
http://www.ohtabooks.com
印刷・製本　中央精版印刷株式会社

ISBN978-4-7783-1780-5　C0030